A HISTÓRIA DO
FUTEBOL
PARA QUEM TEM PRESSA

A HISTÓRIA DO FUTEBOL PARA QUEM TEM PRESSA

MÁRCIO TREVISAN

valentina

Rio de Janeiro, 2025

4ª edição (atualizada)

Copyright © 2018 *by* Márcio Trevisan
Esta edição foi revista e atualizada até 31/12/2022

CAPA E ILUSTRAÇÕES DE CAPA
Sérgio Campante

ILUSTRAÇÕES DE MIOLO
Bruno Venâncio

DIAGRAMAÇÃO
Kátia Regina Silva | editoriârte

Impresso no Brasil
Printed in Brazil
2025

CIP-BRASIL. CATALOGAÇÃO NA PUBLICAÇÃO
SINDICATO NACIONAL DOS EDITORES DE LIVROS, RJ
VANESSA MAFRA XAVIER SALGADO – BIBLIOTECÁRIA CRB-7/6644

T739h
4. ed.

Trevisan, Márcio
A história do futebol para quem tem pressa / Márcio Trevisan – 4. ed. – Rio de Janeiro: Valentina, 2025.
200p. il. ; 21 cm.

ISBN 978-85-5889-088-5

1. Futebol – Brasil – História. I. Título.

CDD: 796.3340981
19-56352
CDU: 796.332(81)

Todos os direitos desta edição reservados à

EDITORA VALENTINA
Rua Santa Clara 50/1107 – Copacabana
Rio de Janeiro – 22041-012
Tel/Fax: (21) 3208-8777
www.editoravalentina.com.br

SUMÁRIO

INTRODUÇÃO

"Enquanto uma bola rolar pelo mundo, o mundo terá uma chance de paz."

Poucas vezes uma frase foi tão feliz quanto essa, dita pelo ex-presidente da FIFA, João Havelange, no dia em que começou a Copa do Mundo de 1994, nos Estados Unidos. Se lembrarmos que enquanto durou a Segunda Guerra Mundial não houve a realização de Campeonatos Mundiais de Futebol, veremos que o ex-dirigente brasileiro tinha mesmo razão.

Sim, futebol, você venceu a guerra, porque sua força provém não das armas, mas dos sonhos; porque sua estratégia visa à união das gentes, não à dispersão dos povos.

É você, futebol, muito mais que um esporte. Nenhuma outra modalidade envolve tanta paixão, tanto sofrimento e, paradoxalmente, tanta emoção, tanta alegria. Para o Brasil, pátria que não o deu à luz, mas que o adotou como filho mais querido, você tem importância ainda maior: é o nosso cartão de visitas, é por intermédio de sua beleza que todo o mundo descobre que também somos vencedores.

Foi graças a você, futebol, que uma gente de barriga quase sempre vazia pôde encher de orgulho o peito. Mas não falo só das nossas cinco Copas — falo de todas as emocionantes tardes de domingo e noites de quarta-feira que você nos deu.

Este amor entre você e nossa terra, por sinal, nasceu à primeira vista, exatamente no dia em que Charles Miller aqui retornou, trazendo nos braços duas bolas de couro e no coração a certeza de que você chegava para ser o maior. Aliás, não sei quem o inventou, futebol — se os chineses, os maias, os italianos. Eu só sei que há mais de um século você está impregnado em nossa pele da mesma forma que o suor que dela escorre após um grito de gol.

Você, futebol, não é somente um simples jogo: você é o espelho de todo um povo, que muitas vezes só encontra em seus times, em seus jogadores, o caminho para a felicidade. Você, futebol, não é a cara da gente: você é "o" cara da gente.

Este livro, futebol, muito mais do que um resumo de toda a sua história, é uma humilde homenagem que lhe faço por ter tornado minhas tardes de domingo e minhas noites de quarta-feira muitas vezes mais felizes, outras mais tristes, mas todas muito mais emocionantes. Sei que pouco sou, mas sei ainda mais que sem você muito menos, ou quase nada, seria.

Por tudo isso, futebol, benditos sejam os deuses que o criaram.

CAPÍTULO UM

As Origens e a Evolução

A China

Quem pensa que o futebol que hoje se vê mundo afora sempre foi assim está redondamente enganado. Na verdade, sua origem é motivo de muita polêmica, pois, na verdade mesmo, não se sabe, com certeza, nem quando e nem onde ele surgiu. Mas uma das versões diz que a primeira vez que se jogou "bola", isso se deu na China.

As aspas do parágrafo acima se explicam: segundo o historiador Sima Qian, que viveu no século 1 a.C., o esporte nasceu cerca de 2.000 anos antes de Cristo na província de Linzi e se chamava *tsu-chu* que, em chinês literal, significa "chutar bola". Só que não era bem uma bola que se chutava então: na verdade, o que levava pontapés de soldados que venciam batalhas eram as cabeças de outros soldados que as haviam perdido.

Com o tempo, os crânios dos derrotados foram sendo substituídos por bolas confeccionadas com bexigas de boi recheadas com penas de aves. Tal mudança serviu, claro, para popularizar o esporte que, rapidamente, chegou a países como Vietnã, Coreia e Japão, onde recebeu o nome de *kemari*.

Os Maias

Antigo, sim, mas nem tanto.

Para alguns historiadores, o futebol teve suas origens na era pré-cristã, mas cerca de apenas 900 anos antes que ela começasse. Estes acreditam que foi a civilização maia que deu, literalmente, o pontapé inicial nessa questão.

Segundo apuraram, os maias viviam na península de Iucatã, onde hoje se encontra o México, e por lá praticavam um jogo que se chamava *pok-ta-pok*. Usando tanto os pés quanto as mãos, eles arremessavam bolas em direção a um círculo feito com seis placas de pedra.

Detalhe: atrás de tais placas — ou na linha de fundo, se preferirem — existia sempre um templo, no qual o principal jogador do time perdedor (que hoje equivaleria ao capitão) era sacrificado.

A EUROPA

Embora aparecendo em relatos escritos de vários países europeus, como França, Grécia e Alemanha, os mais fortes indícios de que o futebol (ou algo que se assemelhava a ele) já era praticado no Velho Continente àquela época são da Itália, onde se jogava o *calcio storico fiorentino*.

Oriunda de antigas disputas gregas chamadas *sferomachias*, tal atividade esportiva aconteceu durante décadas na região de Florença. Mas foi na metade do século 15 que se popularizou de forma impressionante, chegando inclusive a ser proibido em alguns locais, como a Inglaterra, por exemplo. E embora não pudesse ser jogado em frente a igrejas, não impediu que três papas o tivessem como atividade física preferida: Clemente VII (1523/34), Leão XI (1605) e Urbano VIII (1623/44).

Bem menos radicais que os chineses (afinal, chutavam bolas, e não cabeças de soldados inimigos), e também que os maias (pois não sacrificavam adversários), os italianos formavam duas equipes de 27 jogadores que tinham como objetivo levar a bola até o bairro adversário. Ou seja: o campo de jogo era quase a cidade inteira.

A fim de manter a tradição, ainda hoje se realiza o *calcio storico fiorentino* entre quatro distritos de Florença. A final acontece sempre no Domingo de Páscoa.

A DEFINIÇÃO DAS REGRAS PELOS INGLESES

Como já vimos, não é verdade que foram os ingleses os criadores do futebol. Entretanto, é inegável que foram eles, sim, os que mais contribuíram para o esporte, pois foi na Inglaterra que se definiram as regras.

O principal responsável por isso foi Ebenezer Cobb Morley. Um dos fundadores da Football Association, entidade que passou a regular o futebol no país, ele propôs, em 1863, a criação de um grupo que definisse a forma como se jogaria, já que até então cada colégio ou mesmo cada clube corria atrás da bola da forma como bem entendesse. Além do mais, era comum a confusão entre o futebol e o rugby, pois todo e qualquer jogador de ambas as modalidades podia utilizar as mãos na condução da bola.

Foi Morley, por sinal, quem escreveu a primeira versão das regras do futebol que, aliás, não eram as 17 que hoje conhecemos, mas sim apenas 13 — impedimento, árbitro, tempo de jogo e pênalti surgiriam apenas algum tempo depois. As decisões deste patrono do futebol moderno foram adotadas pela FIFA logo quando se deu a sua criação, em 1904.

Os Cartões

Desde que o futebol começou a ser disputado de forma competitiva, os árbitros puderam advertir e expulsar jogadores. Para tanto, bastava informar aos atletas e realizar um gesto com os braços indicando que se controlassem em campo ou, então, deste saíssem imediatamente.

Tal situação se deu até 1966, quando, na partida válida pela Copa do Mundo entre Inglaterra e Argentina, o capitão portenho Rattín foi expulso pelo árbitro alemão Rudolf Kreitlein após proferir uma série de reclamações. Alegando não entender o que o apitador dizia, o atleta se negou a sair do gramado, até que foi retirado por policiais.

Em razão deste fato, o membro do Comitê de Arbitragem da Fifa, Ken Aston, criou os cartões amarelo (advertência) e vermelho (exclusão), que passaram a ser adotados em todo o mundo a partir do Mundial de 1970, no México.

O VAR

Os árbitros sempre erraram em suas decisões, porém, à medida que as transmissões e a tecnologia foram se aprimorando, tais equívocos ficaram mais visíveis e, com isso, as reclamações se tornaram cada vez mais constantes por parte de jogadores, treinadores, jornalistas e torcedores.

Por isso, a FIFA decidiu criar o VAR (*Video Assistant Referee*) que, em síntese, é a presença de no mínimo três árbitros que ficam em uma dependência do estádio, com vários monitores de TV à disposição. Em lances polêmicos, de difícil decisão ou mesmo de erros do árbitro (e/ou de seus auxiliares), eles o avisam pelo fone de ouvido e, então, o juiz pode ir até um monitor localizado à beira do campo, analisar o lance quantas vezes quiser e, desta forma, retificar ou ratificar sua marcação.

A Chegada ao Brasil

Charles Miller, o pai do futebol brasileiro

Charles Miller

A rua Monsenhor Andrade, no encontro dos bairros do Brás e do Pari, em São Paulo, é hoje exclusivamente comercial e, com exceção de por quem a frequenta, nada conhecida. Mas não deveria ser assim: afinal, uma de suas construções abrigou os primeiros anos de vida do homem que trouxe o futebol para o Brasil.

Nascido em 24 de novembro de 1874, no número 168, Charles William Miller era filho de um escocês que viera ao país para trabalhar na São Paulo Railway Company, a primeira ferrovia paulista que, quando pronta, ligaria a capital ao litoral. Aos 10 anos, foi enviado à Inglaterra para aprimorar seus estudos e, quando de lá voltou, uma década depois, trouxe em sua bagagem duas bolas, que ganhou de presente de um companheiro de Southampton, um dos clubes em que jogou na Europa, um par de chuteiras, alguns uniformes usados, uma bomba de ar e um livro com as regras do esporte que conhecera e pelo qual se apaixonara. Porém, muito mais importante que tudo isso, ele trazia o sonho de tornar o futebol uma paixão nacional.

Graças a seu empenho junto aos clubes, em 14 de abril de 1895 disputou--se a primeira partida em solo nacional (Gas Company of São Paulo 2 x 4 São Paulo Railway Company). Miller jogou pela equipe vencedora e marcou dois gols. Seis anos mais tarde, ele criou a Liga Paulista de Futebol, precursora da atual FPF, e já em 1902 aconteceu o primeiro campeonato oficial no Brasil: o Paulistão. Claro que o campeão não só desta edição, mas também das duas seguintes, foi o time de Miller, o São Paulo Athletic Club, conhecido como SPAC. Em 1910, já com 36 anos, encerrou sua carreira de atleta e se tornou árbitro, tendo apitado partidas válidas pelo Campeonato Paulista até 1919. Faleceu em 30 de junho de 1953, aos 78 anos.

Se o futebol brasileiro teve um pai, este foi Charles William Miller.

O PRECONCEITO CONTRA NEGROS E POBRES

Quando a Princesa Isabel assinou a Lei Áurea, em 13 de maio de 1888, colocou fim à escravidão no Brasil, mas nem chegou perto de terminar com os preconceitos racial e social. Também, pudera: desde o final do século 14 o mundo acreditava na supremacia ariana sobre todos os que dela não fizessem parte, e era comum que os intelectuais do início do século 20 classificassem a miscigenação, sempre uma constante no Brasil, uma "deterioração da raça humana", como afirmou o zoólogo suíço Louis Agassiz durante visita ao nosso país, em 1865.

Por isso, desde que começou a ser disputado por aqui, o futebol vetou velada e até mesmo explicitamente a participação de negros e pobres em suas equipes. Os clubes que não impediam a associação das chamadas "pessoas de cor" ou então de operários em seus estatutos cobravam valores impensáveis a essas classes, o que acabava por impedir a indesejada presença em seus quadros sociais.

Havia, claro, quem com isso não concordasse. A Ponte Preta, segundo clube de futebol mais antigo do Brasil, foi a primeira a ter negros e pobres em seu elenco. Aliás, desde quando montou seu primeiro time, em 11.08.1900.

No Rio de Janeiro, tal pioneirismo coube ao Bangu que, formado em sua esmagadora maioria por trabalhadores das fábricas do bairro, quase todos mulatos, escalou Francisco Carregal em 1905 e quebrou a nefasta regra.

Mas a presença de negros e mestiços entre os jogadores de futebol, assim como a de pobres ou mesmo integrantes de uma incipiente classe média, incomodava a elite branca. Por isso, em dezembro de 1917, o *Diário Oficial Carioca* divulgou a Lei do Amadorismo, que afirmava: "Não poderão ser registrados como atletas os que tirem os meios de subsistência de profissão braçal, aqueles que exerçam profissão humilhante (que lhes permitam recebimento de gorjetas), os analfabetos e os que, mesmo que não se enquadrem nas condições citadas, estejam abaixo do nível moral exigido pelo Conselho Superior de Esportes". Em outras palavras: pretos e pobres, fora!

A pressão era tão grande que nem mesmo o passar do tempo e o surgimento de craques negros ou quase negros, como Friedenreich, amenizavam o problema. O ápice desse racismo aconteceu em 1921, quando o então presidente da República, Epitácio Pessoa, se reuniu com diretores da CBD e pediu, explicitamente, para que apenas jogadores com pele mais clara e cabelos lisos fossem convocados para a Seleção Brasileira.

Justamente por isso, muitos jogadores negros começaram a organizar ligas próprias. Assim, surgiram entidades como a Liga Suburbana de Futebol, no Rio de Janeiro, a Liga Nacional de Football (pejorativamente chamada de "Liga da Canela Preta"), em Porto Alegre, e a Liga Brasileira de Desportos Terrestres (maldosamente apelidada de "Liga dos Pretinhos"), em Salvador. Em São Paulo, nada menos que 12 equipes formadas apenas por pobres, pardos e pretos foram criadas, e uma delas tinha o pomposo nome de "Black Team".

Entre 1927 e 1939 (portanto mesmo após a adoção do profissionalismo no Brasil, ocorrida em 1933), chegou a acontecer anualmente na capital paulista o clássico "Preto x Branco", em que jogadores das duas cores formavam equipes e disputavam a Taça Princesa Isabel. Não à toa, o jogo ocorria sempre num dia 13 de maio. Como certa vez descreveu o jornalista Mário Filho, durante anos existiu em nosso país uma campanha pela arianização do futebol brasileiro.

Se ainda hoje há casos explícitos de racismo no futebol, imaginem então o que não acontecia há 100 anos...

Nossos Primeiros Craques

Todo mundo sabe quem foi Pelé e quem é Neymar, mas nem todos sabem que bem antes do Rei do Futebol, muitos outros jogadores brasileiros ganharam fama internacional. Alguns até atingiram o status de celebridade numa época em que o termo sequer existia.

Os primeiros que merecem tal denominação foram alguns dos que defenderam a Seleção Brasileira em sua primeira competição oficial, a Copa América de 1917. No caso, podem ser lembrados os meias corintianos Amílcar e Neco, e o ponta-direita palmeirense (na época palestrino) Caetano. Dois anos mais tarde, na primeira conquista do futebol brasileiro (a mesma Copa América), os destaques foram, além dos citados acima, também Heitor, centroavante do Palestra Itália (hoje Palmeiras) e Friedenreich, do Paulistano.

Já na Copa do Mundo de 1930, devido à briga entre a CBF e a APEA (Associação Paulista de Esportes Atléticos, precursora da FPF), o time brasileiro se viu desfalcado de quase todos os jogadores de São Paulo. A única exceção foi o centroavante Araken Patusca, que jogava no Santos. Outro nome que merece ser lembrado é o de João Coelho Netto, o "Preguinho", meia ofensivo que defendia o Fluminense. Por fim, quatro anos mais tarde, em 1934, vale recordar o centroavante Leônidas, do Flamengo, e o ponta esquerda Patesko, do Botafogo.

Olimpíadas:
O "Start" para a Copa do Mundo

O futebol deve muito do que se tornou a Jules Rimet

O espantoso — e até certo ponto inexplicável — sucesso que o futebol fez com o público desde que os ingleses estabeleceram suas regras, no final do século 19, ocasionou o surgimento da Fédération Internationale de Football Association, a FIFA, em 1904.

Mas até que se conseguisse realizar a primeira Copa do Mundo, um longo e árduo caminho teve de ser percorrido. Inicialmente, foi necessário esperar que o futebol se expandisse para um maior número de países, e que estas nações também passassem a fazer parte da entidade.

Contudo, devido à eclosão da Primeira Guerra Mundial na Europa, em 1914, o esporte foi relegado a segundo plano. O futebol só voltaria à tona com os adventos olímpicos de 1924 e 1928, e por três outros motivos. O primeiro é que o então presidente da FIFA, o francês Jules Rimet, era o maior defensor do torneio. O segundo é que a presença dos torcedores nas partidas de futebol nas duas edições dos Jogos Olímpicos foi maciça e empolgante. E o terceiro é que o grande campeão de ambos os torneios não foi um país europeu, mas sim uma pequena nação situada entre a Argentina e o Brasil.

O Sucesso Uruguaio

O Uruguai foi a primeira nação a se sagrar tetracampeã do mundo. Isso mesmo: nossos vizinhos do Sul ostentam sobre o símbolo de sua confederação quatro estrelas douradas, e o fazem com total conhecimento e aprovação por parte da FIFA.

Obviamente, duas destas estrelas se referem às Copas do Mundo de 1930 e de 1950, e as outras duas representam o bicampeonato olímpico obtido pela Celeste, em 1924 e 1928. Explicando: um congresso da entidade máxima do futebol, realizado no início de 1924, permitiu que a modalidade passasse a fazer parte das Olimpíadas, mas desde que "o torneio fosse realizado de acordo com o regulamento com que a FIFA regia o esporte", como diz um antigo documento arquivado na sede do órgão. E completava o referido texto: "Neste caso, a FIFA reconhecerá este torneio como um campeonato mundial de futebol".

O pequeno país sul-americano era, sem dúvida alguma, uma potência da bola no começo do século passado. Além do bicampeonato olímpico, vencera também seis das 10 edições da Copa América. Em outras palavras: das 12 competições internacionais de futebol realizadas entre 1916 e 1930, o Uruguai chegara a 10 decisões, vencendo oito e sendo vice-campeão em duas. Tal retrospecto foi, sem dúvida alguma, o principal motivo que fez com que a FIFA, em 24 de novembro de 1928, escolhesse os uruguaios como realizadores da Copa do Mundo de 1930.

Jules Rimet

A história de Jules Rimet, o terceiro e mais importante presidente que a FIFA já teve, começa bem antes da entidade. Filho de fazendeiros, ele nasceu na pequena Theuley, na França, em 14 de outubro de 1873 e, na juventude, tornou-se um árduo defensor dos direitos das classes trabalhadoras, formando-se logo depois em Direito, justamente para proteger os mais humildes. Mas sua paixão sempre foi o futebol. Tanto que, com apenas 24 anos, fundou o Red Star FC, clube que chegou a ser pentacampeão francês.

Sua ascensão superou os limites de sua cidade e, rapidamente, ele já ocupava o cargo de presidente da Federação Francesa de Futebol. Mas isso ainda era pouco para os sonhos de Rimet. Por isso, em 1921, ele é eleito para a presidência da FIFA, da qual fora um dos fundadores, fato este que mudaria a trajetória do futebol.

Com o mundo recém-saído da Primeira Guerra Mundial (na qual, aliás, fora soldado), Jules Rimet tinha como objetivo promover a paz entre todos os povos. Percebendo o sucesso que o futebol fizera nas Olimpíadas de 1924 e 1928, não poupou esforços para que um torneio em nível global fosse realizado. As dificuldades eram gigantescas, desde a péssima situação financeira de quase todas as nações europeias às rudimentares condições de transporte até o Uruguai, país escolhido para sediar a primeira Copa do Mundo.

Mas Rimet insistiu. E conseguiu: foram apenas 13 seleções, é verdade, e somente quatro delas vindas da Europa (as outras nove eram do continente americano). Só que o sucesso de público e o espaço na mídia que o evento conquistou serviram de combustível para o sonho daquele jovem francês, que a partir de então se consolidou e se tornou realidade.

Em 1954, portanto 33 anos depois (é, até hoje, o mais extenso mandato na entidade) e contando, então, 81 anos, Jules Rimet deixou a presidência da FIFA tendo organizado quatro mundiais e mais do que quadruplicado o número de países-membros — de 20, quando assumiu, para 84. Em 16 de outubro de 1956, apenas dois dias depois de seu 83º aniversário, ele faleceu na periferia de Paris.

Por tudo o que fez, Jules Rimet é muito mais que apenas o nome de um troféu de futebol: ele é praticamente um sinônimo do esporte.

A Guerra do Futebol

Em 1969, durante as Eliminatórias para a Copa do Mundo do ano seguinte, Honduras e El Salvador, literalmente, foram à luta em razão de acontecimentos oriundos de três partidas que suas seleções disputaram.

Antes, porém, de relatarmos os motivos que levaram ambos os países a pegarem em armas, vale ressaltar que a chamada "Guerra do Futebol", na verdade, foi apenas a gota d'água que fez transbordar o copo. Hondurenhos e salvadorenhos já estavam em litígio devido a questões de fronteira, e os jogadores levaram a campo tal rivalidade. As duas seleções centro-americanas disputavam a única vaga do continente para o Mundial de 1970 (a outra já pertencia ao México, anfitrião do torneio). Após passarem sem grandes problemas em seus respectivos grupos na primeira fase, Honduras e El Salvador se enfrentaram numa das semifinais (a outra foi entre o Haiti e os Estados Unidos).

No primeiro jogo, disputado em 08.06.1969, em Tegucigalpa, a seleção local venceu por 1 x 0. Em campo, foram inúmeras as brigas. Fora dele, torcedores de ambos os países também entraram em confronto, resultando em vários feridos. Uma semana depois, viria o troco dos salvadorenhos, tanto dentro de campo — venceram por 3 x 0 —, quanto fora dele: as brigas invadiram as ruas da capital, San Salvador, onde até mesmo assassinatos aconteceram.

Como o regulamento não previa o saldo de gols como critério de desempate, foi necessária a realização de mais uma partida, desta vez em campo neutro — a Cidade do México. Lá, em 27.06.1969, El Salvador ganhou por 3 x 2 e ficou com a vaga nas finais. Nestas, após três partidas e mais uma prorrogação contra os haitianos, carimbou seu passaporte rumo a terras mexicanas.

Mas o caos político já estava decretado: dias antes da terceira partida os governos de El Salvador e Honduras haviam rompido relações diplomáticas. Isso, claro, gerou o conflito, que, embora tenha durado apenas quatro dias (de 14 a 18 de julho de 1969), graças à pronta intervenção da OEA (Organização dos Estados Americanos), resultou na morte de 2.100 pessoas, na maioria civis. Já as relações diplomáticas entre ambas as nações só foram oficialmente retomadas quase 10 anos mais tarde.

Dessa forma, a expressão "futebol é uma guerra", pelo menos uma vez na vida, foi levada ao pé da letra.

A Seleção Brasileira

O Primeiro Desafio Foi Montar um Time

O Exeter City é hoje uma minúscula equipe inglesa que disputa a Terceira Divisão do país. Por isso, seu maior título não é um Campeonato Inglês, uma Copa da Inglaterra e muito menos uma Champions League: o maior feito desse time é ter sido o primeiro adversário da Seleção Brasileira.

Excursionando pela América do Sul em 1914, o clube fez duas partidas no Rio de Janeiro e venceu ambas: 1 x 0 diante de um combinado de jogadores ingleses que atuavam em equipes locais e 5 x 3 sobre a seleção carioca.

Isso mexeu de tal forma com os brios dos cariocas, que, visando a uma revanche, pediram ajuda a clubes de São Paulo. Nascia, assim, a primeira convocação para o Selecionado Nacional, que contou com sete cariocas e quatro paulistas. Mas não foi fácil: Rubens Salles (do Paulistano), Lagrecca (do São Bento da Capital) e Formiga e Friedenreich (ambos do Ypiranga) viajaram durante um dia inteiro até chegarem à então capital brasileira.

Se montar o time já foi complicado, jogar contra os ingleses foi ainda pior. Muito mais fracos fisicamente, os brasileiros tiveram de usar a habilidade e o toque de bola para sobressaírem. Sentindo-se humilhados, nossos adversários apelaram para a violência, e a maior vítima foi, claro, o craque da nossa Seleção: Fried terminou a partida, a qual vencemos por 2 x 0, com dois dentes a menos.

No apito final, os jogadores foram carregados nos braços pela torcida que lotou o Campo das Laranjeiras, e os atletas paulistas ganharam um jantar de honra oferecido pelo C. A. Ypiranga.

O Brasil na Copa América

O primeiro título da Seleção Brasileira foi o da Copa Roca, disputado no dia 27 de setembro de 1914, em partida única, contra a Argentina, em Buenos Aires. Mas o primeiro torneio oficial ganho pelo Selecionado Nacional aconteceu cinco anos depois, no Rio de Janeiro: a Copa América. Três anos mais tarde, faturaríamos o bi novamente em casa.

O que ninguém poderia imaginar é que, depois disso, tanto tempo se passaria até que o Brasil voltasse a ser campeão continental. Isso só aconteceria em 1949 e, certamente não por coincidência, outra vez em casa. Mas os 27 anos que separaram a segunda da terceira conquista nem se equiparariam ao jejum de títulos que viria a seguir: nosso futebol somente voltou a reinar na América do Sul em 1989 — ou seja, exatos 40 anos depois! E nem é preciso dizer que fomos nós quem sediamos aquela Copa América. Desde então, é verdade, melhoramos um pouquinho nosso desempenho: faturamos os títulos em 1997 (Bolívia), 1999 (Paraguai), 2004 (Peru), 2007 (Venezuela) e 2019 (em casa). E também chegamos à final outras 12 vezes.

Mas repararam? Dos nove títulos que o Brasil possui, quatro foram obtidos diante da nossa torcida.

Todos os Campeões e Vices da Copa América

ANO	CAMPEÃO	VICE
1916	Uruguai	Argentina
1917	Uruguai	Argentina
1919	BRASIL	Uruguai
1920	Uruguai	Argentina
1921	Argentina	BRASIL
1922	BRASIL	Paraguai
1923	Uruguai	Argentina
1924	Uruguai	Argentina
1925	Argentina	BRASIL
1926	Uruguai	Argentina
1927	Argentina	Uruguai

ANO	CAMPEÃO	VICE
1929	Argentina	Paraguai
1935	Uruguai	Argentina
1937	Argentina	BRASIL
1939	Peru	Uruguai
1941	Argentina	Uruguai
1942	Uruguai	Argentina
1945	Argentina	BRASIL
1946	Argentina	BRASIL
1947	Argentina	Paraguai
1949	BRASIL	Paraguai
1953	Paraguai	BRASIL
1955	Argentina	Chile
1956	Uruguai	Chile
1957	Argentina	BRASIL
1959	Uruguai	Argentina
1959	Argentina	BRASIL
1963	Bolívia	Paraguai
1967	Uruguai	Argentina
1975	Peru	Colômbia
1979	Paraguai	Chile
1983	Uruguai	BRASIL
1987	Uruguai	Chile
1989	BRASIL	Uruguai
1991	Argentina	BRASIL
1993	Argentina	México
1995	Uruguai	BRASIL
1997	BRASIL	Bolívia
1999	BRASIL	Uruguai
2001	Colômbia	México
2004	BRASIL	Argentina

ANO	CAMPEÃO	VICE
2007	BRASIL	Argentina
2011	Uruguai	Paraguai
2015	Chile	Argentina
2016*	Chile	Argentina
2019	BRASIL	Peru
2021	Argentina	BRASIL

* Copa América Centenário.

O BRASIL NA COPA DAS CONFEDERAÇÕES (E A MALDIÇÃO)

O Brasil é o maior vencedor da Copa das Confederações. Competição idealizada pela FIFA, que durou 20 anos e reunia os últimos campeões continentais, o mundial e também o país-sede; servia principalmente como teste para a Copa do Mundo do ano seguinte, geralmente realizada no mesmo país.

Ao todo, a Seleção Brasileira faturou as taças de 1997 (Arábia Saudita), 2005 (Alemanha), 2009 (África do Sul) e 2013 (em casa). Também foi vice-campeã em 1999 (México).

Mas ganhar a Copa das Confederações nunca foi um bom negócio: até hoje, nenhum país que levantou a taça desta competição conseguiu ganhar a Copa do Mundo seguinte.

Após a edição de 2017, a FIFA extinguiu a competição, pois decidiu aumentar para 48 o número de participantes a partir da Copa do Mundo de 2026.

TODOS OS CAMPEÕES E VICES DA COPA DAS CONFEDERAÇÕES

ANO	CAMPEÃO	VICE
1997	BRASIL	Austrália
1999	México	BRASIL
2001	França	Japão

ANO	CAMPEÃO	VICE
2003	França	Camarões
2005	BRASIL	Argentina
2009	BRASIL	Estados Unidos
2013	BRASIL	Espanha
2017	Alemanha	Chile

O Brasil nos Jogos Olímpicos

Na história das Olimpíadas dos tempos modernos, o futebol se tornou uma modalidade competitiva a partir de 1900, em Londres. Desde então, ficou de fora somente na edição realizada em Los Angeles, em 1932, por decisão da FIFA.

O fato de ser disputado exclusivamente por jogadores "amadores" — até Moscou, 1980 — acabou prejudicando a Seleção Brasileira, pois, adotando o profissionalismo desde 1933, muitas vezes nossas equipes eram formadas por jogadores muito jovens e/ou apenas de equipes pequenas. Em outras, o time foi formado por um combinado de jogadores pertencentes a somente duas ou três agremiações.

Obsessão do Brasil desde sempre, nossa primeira medalha de ouro só foi conquistada na edição de 2016, no Rio de Janeiro, feito repetido quatro anos mais tarde, em Yokohama, no Japão.

Todos os Países Medalhistas de Futebol nas Olimpíadas

ANO	OURO	PRATA	BRONZE
1900	Grã-Bretanha	França	Bélgica
1904	Canadá	EUA	Não Houve
1908	Grã-Bretanha	Dinamarca	Holanda
1912	Grã-Bretanha	Dinamarca	Holanda
1920	Bélgica	Espanha	Holanda
1924	Uruguai	Suíça	Suécia
1928	Uruguai	Argentina	Itália

ANO	OURO	PRATA	BRONZE
1936	Itália	Áustria	Noruega
1948	Suécia	Iugoslávia	Dinamarca
1952	Hungria	Iugoslávia	Suécia
1956	União Soviética	Iugoslávia	Bulgária
1960	Iugoslávia	Dinamarca	Hungria
1964	Hungria	Tchecoslováquia	Alemanha Oriental
1968	Hungria	Bulgária	Japão
1972	Polônia	Hungria	União Soviética
1976	Alemanha Oriental	Polônia	União Soviética
1980	Tchecoslováquia	Alemanha Oriental	União Soviética
1984	França	BRASIL	Iugoslávia
1988	União Soviética	BRASIL	Alemanha Ocidental
1992	Espanha	Polônia	Gana
1996	Nigéria	Argentina	BRASIL
2000	Camarões	Espanha	Chile
2004	Argentina	Paraguai	Itália
2008	Argentina	Nigéria	BRASIL
2012	México	BRASIL	Coreia do Sul
2016	BRASIL	Alemanha	Nigéria
2021	BRASIL	Espanha	México

As Copas que Perdemos

O alemão Klose é o maior artilheiro da história
das Copas do Mundo, com 16 gols (até 2022)

1930: O Bairrismo Entra em Campo.
E o Primeiro "País do Futebol"

A participação brasileira no primeiro Campeonato Mundial (Uruguai) foi, no mínimo, discreta. Na classificação final, ficamos apenas com a sexta colocação, muito embora tenhamos realizado somente dois jogos. Na estreia, perdemos para a Iugoslávia por 2 x 1 (gol brasileiro marcado por Preguinho) e, já desclassificados, de nada nos adiantou golear a Bolívia por 4 x 0, com dois de Preguinho e dois de Moderato, uma semana mais tarde.

Mas não havia mesmo como ter um bom desempenho naquele Mundial. Uma briga entre a CBD (Confederação Brasileira de Desportos), entidade que comandava nosso futebol, e a APEA (Associação Paulista de Esportes

Atléticos), impediu que jogadores filiados a clubes de São Paulo fossem convocados. A única exceção foi o meia Araken Patuska, que bateu o pé, se desligou do Santos e fez parte do grupo. Todos os demais atletas pertenciam a equipes do Rio de Janeiro e foram comandados por Píndaro de Carvalho.

O pequeno gigante: animados com as duas medalhas de ouro obtidas nos Jogos Olímpicos de Paris, em 1924, e Amsterdã, em 1928 — naquela época, como se vê, o Uruguai era uma enorme potência futebolística —, os dirigentes uruguaios aceitaram o desafio de, em apenas dois anos, organizar a primeira Copa do Mundo.

As dificuldades, porém, eram terríveis. O único meio de transporte disponível entre a Europa e a América do Sul era o navio. E uma viagem entre o Velho Continente e o Novo Mundo demorava cerca de 30 dias! E mais: o Uruguai não possuía um estádio que pudesse comportar o público que, certamente, compareceria em massa. Para que estes dois entraves fossem resolvidos, o governo local teve de provar sua força e sua coragem. Primeiro, pagou todas as despesas de transporte e de hospedagem para as nações da Europa que aceitaram o desafio de atravessar o oceano para disputar o torneio. Além disso, construiu no peito e na raça o Estádio Centenário. E o mais incrível é que o local só foi concluído já durante o Mundial!

Apesar de todos esses esforços, a verdade é que a Copa do Mundo de 1930 por pouco não se tornou uma Copa Interamericana. Afinal, apenas 13 países a disputaram e, destes, somente quatro eram europeus: Bélgica, Iugoslávia, Romênia e França.

Visivelmente surpresos com o bom futebol que se jogava na América do Sul — muito embora já o tivessem visto de perto em duas Olimpíadas —, belgas, iugoslavos, romenos e franceses não foram páreo para os latinos. Na final, os donos da casa venceram a Argentina por 4 x 2 e faturaram a taça.

Bicampeão olímpico e campeão mundial. Não há como negar: o primeiro "País do Futebol" foi o Uruguai.

1934: O BAIRRISMO SEGUE EM CAMPO. E UMA COPA PARA "IL DUCE"

A confusão entre a CBD e a APEA continuava. Já naquela época os paulistas acusavam a entidade de proteger e beneficiar o futebol carioca, e por isso apenas quatro atletas de São Paulo estiveram na Itália: Sílvio Hoffman, Waldemar de Brito, Armandinho e Luizinho Mesquita, todos do São Paulo da Floresta.

O principal motivo da briga, porém, era outro: os paulistas queriam criar a FBF — Federação Brasileira de Futebol — e, obviamente, tomar o poder. Em campo, a campanha foi ainda pior do que a de 1930, com a nossa Seleção jogando e perdendo a única partida que fez: 3 x 1 para a Espanha.

E surge a Azzurra: a segunda Copa do Mundo foi amplamente dominada por anseios políticos, aliás, nada louváveis. Governada pelo ditador fascista Benito Amilcare Andrea Mussolini, a Itália foi o país-sede e, claro, entrou em campo com toda a obrigação de vencer o torneio. Afinal, uma derrota não seria nada boa para "Il Duce", como era conhecido o grande líder do país.

Um dos pontos — senão o principal — que mais ajudaram os italianos a chegarem ao seu primeiro título mundial foi a desistência do Uruguai. Embora detentores da taça, os uruguaios não se beneficiaram da vaga garantida por antecipação, em represália à pequena participação de nações europeias na Copa do Mundo que haviam realizado quatro anos antes. Mesmo assim, pela primeira vez atingiu-se o número de 16 países participantes. Se o primeiro torneio foi praticamente latino, o segundo foi quase todo europeu, já que apenas quatro nações não eram do Velho Continente — Estados Unidos, Brasil, Argentina e Egito.

A grande final reuniu Itália e Tchecoslováquia e terminou com a vitória da Azzurra por 2 x 1. Na comemoração do título e também em todas as vezes que entraram em campo, os jogadores italianos se dirigiam às tribunas e saudavam o tirano Mussolini com o braço direito erguido em diagonal, na conhecida saudação do fascismo.

1938: Diamante Negro, Verde e Amarelo. E o Bi da Itália

Enfim nossa Seleção fez um papel condizente com o amor que seu povo já nutria pelo futebol. O técnico Adhemar Pimenta foi o primeiro a poder convocar quem bem quisesse, já que a paz havia sido selada entre APEA e CBD.

Disputada em sistema eliminatório desde sua primeira fase, vencemos o primeiro jogo, sobre a Polônia, por um placar inesquecível: 6 x 5! Após um empate por 4 x 4 no tempo normal, a partida foi decidida na prorrogação, quando o Brasil venceu por 2 x 1. Somente neste jogo, Leônidas marcou a metade dos gols — quatro — que fez naquela Copa. Nas quartas de final, foram necessários dois confrontos contra os tchecos: no primeiro, empate por 1 x 1, e no segundo, uma vitória por 2 x 1 nos deu a vaga nas semifinais.

Foi então que, apesar do ótimo futebol, a Seleção Brasileira não conseguiu se impor à Itália, que venceu por 2 x 1. O consolo foi tentar o terceiro lugar, o qual conseguimos ao derrotar a Suécia por 4 x 2.

Azul é a cor mais quente: aproveitando-se do bom momento por que passavam seus principais clubes, a Itália manteve o título obtido quatro anos antes. As maiores ausências do Mundial da França, o terceiro, foram a Espanha, já envolta na Guerra Civil (1936-39), e a Áustria, então anexada pela Alemanha nazista de Adolf Hitler. Mesmo assim, quatro austríacos foram convocados e puderam disputar o torneio pela seleção alemã.

Em campo, uma competição de baixo nível técnico, cuja final reuniu italianos e húngaros, e terminou com uma bela vitória por 4 x 2. Contudo, o maior destaque daquele Mundial foi mesmo um brasileiro: Leônidas da Silva, apelidado de "Diamante Negro", artilheiro com oito gols.

Leônidas da Silva, o primeiro craque brasileiro a ser
reconhecido no exterior

1942 E 1946: As Copas que o Mundo Perdeu

A Europa já estava em ebulição e às portas do conflito quando ocorreu o 24º Congresso da FIFA, em Paris, no dia 3 de junho de 1938. Nele, três nações se candidataram a realizar a edição seguinte da Copa do Mundo: Alemanha (que realizara os Jogos Olímpicos, em Berlim, dois anos antes), Argentina e Brasil.

Jules Rimet, então presidente da FIFA, chegou até a visitar os dois países sul-americanos, porém estava decidido a conceder aos alemães a honra da realização do evento por dois motivos: as condições esportivas (de hotelaria e de comunicações) oferecidas pelos europeus eram infinitamente superiores, e os demais países do Velho Continente não se mostravam nem um pouco dispostos a cruzarem o Atlântico de navio, numa viagem que durava, então, quase um mês. Mas argentinos e brasileiros exigiam o retorno do torneio à América do Sul após duas edições seguidas em solo europeu.

Diante dessa situação, a decisão acabou adiada para o congresso seguinte da FIFA, que aconteceria em Luxemburgo, em 1940. Porém, em 01.09.1939, sob ordens de Adolf Hitler, a Alemanha invadiu a Polônia, ação que decretou o início da Segunda Guerra Mundial. Rimet, então, cancelou o congresso e, diante da participação de um número cada vez maior de países no confronto, decidiu, em 23.01.1941, adiar a edição seguinte da Copa do Mundo.

A Segunda Guerra Mundial terminou cerca de um ano antes da data prevista para a realização daquela que seria a 4ª Copa do Mundo, mas as feridas causadas pelo sangrento conflito ainda estavam expostas. Afinal, participaram ao todo 24 nações, ainda que em diferentes níveis: França, Reino Unido, Estados Unidos, União Soviética, China, Austrália, Nova Zelândia, Canadá, Bélgica, Holanda, Polônia, Grécia, Iugoslávia, Noruega, Brasil, Romênia, Hungria, Bulgária, Finlândia, Áustria, Tailândia, Itália, Alemanha e Japão.

Ou seja: pensar em uma competição esportiva do porte de uma Copa do Mundo com tantos mortos e feridos, e países ainda se recuperando de todos os males que uma guerra dessa proporção sempre causa, soava até certo ponto como desrespeito. Daí que, mais uma vez, a FIFA optou por não realizar a competição em 1946, à qual nenhum país chegou, de forma concreta, a pleitear a candidatura para sediá-la.

Foi mais um duro golpe no futebol e, sobretudo, em Jules Rimet, sem dúvida alguma o homem que mais lutou para que o futebol se tornasse a paixão e o esporte número 1 que hoje é em quase todos os cantos do planeta. De qualquer forma, a bola não parou de rolar, e quatro anos mais tarde, enfim, uma nova Copa do Mundo foi realizada naquele que, em pouco tempo, se tornaria internacionalmente conhecido como o "País do Futebol".

1950: A Maior Tragédia de Todos os Tempos. E o "Maracanazo"

Se a Primeira Guerra Mundial atrasou a realização da primeira Copa do Mundo, a Segunda conseguiu algo ainda pior: roubou-nos duas delas.

Assim, apenas em 1950 havia condições financeiras e psicológicas para que o futebol voltasse a reinar, absoluto, entre todos os povos. Inicialmente, a Copa seria disputada na Alemanha, mas evidentemente em frangalhos após a derrota do nazismo, os alemães não tinham a menor condição de arcar com todas as vultosas quantias necessárias, tampouco estado de espírito para receber delegações de nações que, em muitos casos, haviam tentado destruir durante o conflito.

O Brasil, mesmo longe de nadar em dinheiro, se candidatou e ganhou a disputa. Para tanto, construiu nada menos do que o maior estádio do mundo, batizado de Jornalista Mário Filho, mas mundialmente conhecido como Maracanã (nome do bairro onde se situa), no Rio de Janeiro.

O Selecionado Nacional, comandado por Flávio Costa, era fortíssimo e deu um verdadeiro baile em quase todos os adversários. Apesar do empate com a Suíça em São Paulo, no Pacaembu (1 x 1), goleadas sobre México (4 x 0), Suécia (7 x 1) e Espanha (6 x 1) deixaram os brasileiros certos de que ganhariam, enfim, sua primeira Copa do Mundo. A excelente campanha, por sinal, garantiria a taça com apenas um empate diante do Uruguai. Por isso, na véspera da partida decisiva, os jogadores brasileiros já posavam para fotos com a faixa de campeão no peito.

Exatos 199.854 torcedores, sendo 173.850 pagantes, assistiram à grande final naquele inesquecível 16 de julho de 1950 (até hoje, nenhum outro jogo de futebol teve tantos espectadores *in loco*). Depois de um empate sem gols no primeiro tempo, Friaça levou o estádio à loucura aos 13 da etapa final, abrindo o placar. Aos 22, Schiaffino empatou o jogo, mas, como dissemos, o empate nos favorecia. Porém, aos 35, Gigghia desceu livre pela direita, chutou forte, cruzado e rasteiro, e colocou a bola entre o goleiro Barbosa e sua trave esquerda.

Quando o inglês George Reader apitou o fim do jogo, há quem diga que nunca antes se presenciara um silêncio tão estarrecedor em um campo de futebol. Aquela derrota do Brasil, sem dúvida a mais dolorosa de toda a história do nosso futebol, passou a ser ironicamente chamada pelos uruguaios de "Maracanazo".

Gigghia calou mais de 200 mil pessoas no Maracanã
ao marcar o gol do bi mundial do Uruguai, em 1950

A história de Friaça: o estado de letargia que tomou conta dos jogadores após a derrota era imensurável. Uma das histórias mais bizarras foi protagonizada pelo ponta-direita Friaça. Segundo contou várias vezes, depois do jogo ele voltou aos vestiários do estádio de São Januário, no bairro de São Cristóvão, onde o Brasil se concentrara durante toda a Copa, para pegar seus pertences e retornar à pequena Porciúncula/RJ, sua cidade. Mas sofreu um apagão, uma ausência, e quando voltou a si estava deitado debaixo de uma jaqueira no município de Teresópolis, distante 250 km do seu destino. A data? 18 de julho de 1950, ou seja: dois dias após a fatídica derrota no Maracanã. Como e por que ele foi parar na serra fluminense, Friaça nunca soube dizer.

Sandálias da humildade: além dos finalistas, a primeira Copa do Mundo após a paralisação devido à Segunda Guerra Mundial contou com a participação de outras 11 equipes. Contudo, nenhuma despertou mais atenção do que a Inglaterra, e o motivo era simples: considerando-se os "inventores" do jogo, os ingleses simplesmente não quiseram participar de nenhuma das três edições anteriores por terem certeza de que eram infinitamente superiores a todas as demais seleções.

Toda a soberba costuma ser punida de forma exemplar. E foi o que aconteceu: os ingleses até que se saíram bem na estreia, derrotando o Chile por 2 x 0, no Maracanã. Mas daí em diante só perderam: em Belo Horizonte para os Estados Unidos (1 x 0) — considerada até hoje uma das maiores "zebras" da história das Copas —, e de novo no Rio de Janeiro (outro 1 x 0) para a Espanha. No fim, acabaram eliminados ainda na primeira fase, já que apenas o campeão de cada grupo — neste caso, os espanhóis — avançava.

Além da "Fúria", outro destaque merecido foi a Suécia, que eliminou o Paraguai e a então bicampeã mundial Itália, e também se classificou para o quadrangular final, terminando a competição em um honroso (pelo menos para ela, claro) 3º lugar.

1954: O "Comunismo" Derruba o Brasil. E Surge a "Amarelinha"

Com apenas quatro remanescentes da tragédia de 50 — o goleiro Castilho, o lateral-esquerdo Nilton Santos, o volante Bauer e o ponta-esquerda Rodrigues Tatu — e uma nova camisa (a amarela substituiu a branca), o Brasil começou a Copa do Mundo da Suíça goleando o México por 5 x 0 e empatando com a Iugoslávia em 1 x 1, garantindo assim uma vaga nas quartas de final. O problema é que tivemos pela frente justamente o melhor time do mundo na época: a seleção da Hungria.

Mesmo sem contar com Puskás, machucado, os europeus não encontraram muitas dificuldades para vencer por 4 x 2 e mandaram os brasileiros de volta para casa. O jogo, por sinal, foi muito conturbado, com três expulsões (Nilton Santos e Humberto Tozzi pelo Brasil e Bozsik pela Hungria) e invasão de campo por parte do árbitro brasileiro Mário Vianna, que acusou a arbitragem de ser "tendenciosa ao comunismo", regime político que reinava em todo o Leste Europeu na ocasião.

Detalhe: o árbitro daquele jogo era Arthur Ellis, da Inglaterra, país que jamais foi comunista.

A melhor foi vice: algo bem parecido com o que aconteceu com o Brasil em 1950 se deu quatro anos mais tarde com a Hungria, a seleção que apresentava o melhor futebol. No entanto, a campeã foi a pragmática e pouco talentosa Alemanha. Por quê? Porque os alemães se utilizaram de uma estratégia muito simples: quando enfrentaram os húngaros na primeira fase, entraram em campo com apenas quatro titulares e facilitaram a vida para o adversário. O placar final — 8 x 3 para a Hungria — resume bem o que foi o jogo.

Por isso, na grande decisão, Puskás e seus companheiros tinham a mais absoluta certeza de que venceriam, e sem dificuldades. Embora tenham aberto 2 x 0 com apenas oito minutos de jogo, os húngaros cederam o empate ainda no primeiro tempo e levaram o terceiro gol aos 34 minutos da etapa final. Foi uma das mais sensacionais viradas da história das Copas.

1966: Craques Demais, Organização de Menos. E o Árbitro Define o Campeão

Após faturar o bicampeonato mundial nas duas edições anteriores, o Brasil era mais do que favorito à conquista do tri em 1966. Todos apostavam que seria algo fácil para a Seleção Brasileira.

Mas as dificuldades começaram já no sorteio. Embora cabeça-de-chave, demos azar, e duas fortíssimas equipes europeias caíram em nosso grupo: Hungria e Portugal. Moleza mesmo só outra seleção do Velho Continente: a Bulgária. Não à toa, os búlgaros foram vencidos na estreia sem maiores dificuldades: 2 x 0.

Contudo, causaram-nos um grande desfalque: bateram tanto em Pelé, que o impediram de estar em campo diante da Hungria, no segundo jogo. Resultado: 3 x 1 para eles, fora o baile.

O terceiro e último jogo da primeira fase era decisivo. Precisaríamos vencer os portugueses e, ainda por cima, torcer para que os húngaros, no dia seguinte, não derrotassem os já eliminados búlgaros. Pelé estava de volta, mas foi caçado o tempo todo e não teve como continuar na partida — saiu carregado de campo e com uma séria contusão no tornozelo. Sem o gênio, o Brasil perdeu por 3 x 1, foi eliminado ainda na primeira fase e terminou aquela Copa em 11º lugar, colocação pra lá de humilhante, em se tratando de um bicampeão mundial.

Ah, se já existisse o VAR: durante muito tempo, a Inglaterra se julgou tão superior aos demais concorrentes que sequer aceitou disputar as Copas do Mundo. Sua estreia se deu apenas 1950, e 16 anos mais tarde coube à terra da Rainha Elizabeth a honra de sediar o 8º Mundial da história.

Com méritos, os ingleses — capitaneados por Bobby Charlton e Bobby Moore — chegaram à grande decisão diante dos alemães. Após um empate em 2 x 2 no tempo normal, o "English Team" venceu a prorrogação por 2 x 0, mas um erro do árbitro suíço Gottfried Dienst os ajudou: o primeiro dos dois gols marcados no tempo adicional não aconteceu, pois a bola não ultrapassou totalmente a linha fatal após se chocar com o travessão.

1974: A Rivalidade RJ x SP Derruba a Seleção. E o Melhor Time, de Novo, Ficou em Segundo

Com Zagallo mantido no comando técnico, mas já sem Pelé, que dois anos antes se despedira da Seleção Brasileira, o Brasil chegou à Alemanha envolto em profunda desorganização, com um grupo muito forte mas também desunido e sem um mínimo de espírito de equipe. Com o bairrismo à flor da pele, jogadores paulistas e cariocas não se misturavam, ficando sempre em grupinhos separados.

Diante de um quadro destes, já não se poderia esperar muita coisa, e a situação ficou ainda pior quando o esquema tático adotado foi profundamente defensivo, tolhendo o talento natural de um time que, ao contrário do que demonstrou na Alemanha, tinha enorme qualidade.

Na primeira fase, dois empates sem graça e sem gols contra Iugoslávia e Escócia, e uma vitória por 3 x 0 sobre o Zaire, com o terceiro e imprescindível gol acontecendo apenas aos 34 minutos do segundo tempo, e somente graças a um frangaço do goleiro Kazadi. Na etapa seguinte, já classificatória à final, vitórias apertadas sobre a Alemanha Oriental (1 x 0) e a Argentina (2 x 1) deixaram a decisão para o jogo contra a Holanda, o qual nossa Seleção tinha que vencer, mas perdeu (2 x 0).

E nem com o consolo do terceiro lugar ficamos, pois jogamos tão mal diante da Polônia que, merecidamente, fomos derrotados por 1 x 0. Responsabilizando o lateral-esquerdo Marinho Chagas pelo gol de Lato, o goleiro Leão lhe desferiu um violento soco no vestiário.

Laranja Mecânica: pode dar certo um time cujo único jogador a guardar posição é o goleiro? Pode, desde que ele tenha Rinus Michels no comando.

A seleção da Holanda, dirigida pelo mágico treinador, encantou o mundo. Mas é bom que se diga que, além do genial técnico, os holandeses tinham em seu time jogadores extraordinários, como o zagueiro Krol, o atacante Rep, o meia Neeskens e, principalmente, o ponta de lança Johan Cruyff.

Com exceção do segundo jogo da primeira fase, no qual apenas empatou sem gols com a Suécia, a "Laranja Mecânica" — como foi apelidada —, de fato espremeu, com seu "futebol total", todos os demais adversários até virarem suco: 2 x 0 no Uruguai, 4 x 1 na Bulgária, 4 x 0 na Argentina, 2 x 0 na Alemanha Oriental e 2 x 0 no Brasil. Daí, ninguém apostava que a Alemanha Ocidental, sua adversária na final, lhe pudesse fazer frente, muito embora atuasse em seu campo e diante de sua torcida.

Cruyff era o maior craque da Holanda na Copa de 1974

E o drama alemão aumentou logo no primeiro minuto de jogo, quando Neeskens abriu o placar, cobrando um pênalti. A sorte dos germânicos é que Paul Breitner, também através de um penal, empatou aos 26 e, a um minuto do fim do primeiro tempo, Gerd Müller virou o jogo. No segundo tempo, bastou à Alemanha Ocidental fazer aquilo que sempre soube de melhor, ou seja, defender-se e esperar pelo apito final do inglês John Taylor para, 20 anos depois, comemorar o bicampeonato mundial.

1978: Campeão Moral. E uma Estranha Vitória Argentina

Cláudio Pecego de Moraes Coutinho era o técnico da nossa Seleção. Extremamente criticado, sobretudo pela imprensa paulista, que o acusava de ser mais simpático aos jogadores cariocas, seus conterrâneos, levou para a Argentina um time muito mais aguerrido do que técnico.

A difícil classificação à segunda fase já dava mostras de que chegar à final seria algo complicado, mas isso somente não aconteceu pelos motivos que você lerá a seguir.

Restou-nos a disputa pelo terceiro lugar, o qual obtivemos ao vencer a Itália por 2 x 1. E de virada.

Uma derrota "do peru": o regime militar vivia seu apogeu na Argentina no fim dos anos 70. Daí que o título da Copa do Mundo de 1978, organizada pela nossa vizinha, era considerado uma obrigação pelos generais que comandavam o país.

De fato, tudo se fez para que a Argentina chegasse à decisão. Disputando a vaga diretamente com o Brasil, os argentinos puderam jogar depois de encerrada a partida da nossa Seleção com a Polônia e, portanto, já sabendo que precisariam de uma vitória por, pelo menos, quatro gols de diferença sobre o Peru para irem à final.

O detalhe interessante é que os peruanos não tinham uma seleção fraca: nomes como Duarte, Chumpitaz, Cueto, Velásquez e Oblitas eram reconhecidos como ótimos jogadores. Isso sem que falemos de Teófilo Cubillas, o melhor jogador do país em todos os tempos. Além disso, haviam obtido bons resultados na Copa, como a vitória sobre a Escócia (3 x 1) e o empate com a Holanda (0 x 0).

O problema é que o goleiro, Quiroga, era argentino de nascimento e só estava defendendo o Peru porque havia se naturalizado. Assim, a maneira como os peruanos atuaram e a no mínimo estranha goleada que levaram (6 x 0) ocasionaram rumores de que haviam facilitado a vida da Argentina. Nunca se provou nada, mas a desconfiança existe até hoje.

Já na grande final, os argentinos encontraram muitas dificuldades para vencerem a Holanda. Aliás, não conseguiram no tempo regulamentar, tendo empatado em 1 x 1. Somente na prorrogação é que, empurrada por 71.483 torcedores que lotaram o Estádio Monumental de Núñez, a equipe platina se sobrepôs e ganhou por 2 x 0, atendendo à vontade de seus generais.

À Holanda nada mais restou senão o lamento de um bi-vice.

1982: O Maior Erro dos Deuses do Futebol. E a Sorte da Itália

Nem sempre o melhor vence, e isso aconteceu na Copa do Mundo de 1982, na Espanha. Comandado por Telê Santana, o Brasil tinha um time mágico, com craques extraordinários. Afinal, qual melhor adjetivo poderia definir jogadores como Waldir Peres, Leandro, Oscar, Luisinho, Júnior, Toninho Cerezo, Falcão, Sócrates, Zico, Serginho e Éder?

Contudo, aquele time tinha um... problema: extremamente ofensivo, muitas vezes se despreocupava da marcação. E isso lhe foi fatal nas quartas, quando decidiu uma vaga nas semifinais diante da Itália.

Precisando apenas do empate para se garantir entre as quatro melhores do Mundial, a Seleção Brasileira não se deu por satisfeita quando, após sair perdendo logo aos 5 minutos, conseguiu empatar aos 12 e, depois de terminar o primeiro tempo em desvantagem, obter de novo a igualdade aos 23.

Orientados pelo treinador, amante do futebol-arte, os craques brasileiros partiram para o ataque, tentando o gol da vitória, e pagaram caro por isso: aos 29, Paolo Rossi fez o seu terceiro gol da tarde e mandou a Seleção Canarinho de volta para casa. O episódio ficou conhecido como a Tragédia do Sarrià.

Com três gols, Paolo Rossi despachou o
Brasil da Copa do Mundo de 1982

Saborosos "camarões": a edição de 1982 foi a primeira em que se teve o aumento do número de participantes. Das tradicionais 16, que duraram de 1954 a 1978, passaram a ser 24 as seleções classificadas. Isso fez com que todos os continentes pudessem ter mais representantes na fase final da Copa do Mundo, já que para a FIFA, pelo menos na teoria, as Eliminatórias já fazem parte do torneio, pois são a etapa de classificação.

Assim, países estreantes se tornaram também atrações, como os africanos Camarões e Argélia, o asiático Kuwait (então treinado pelo brasileiro Carlos Alberto Parreira), o centro-americano Honduras e o oceânico Nova Zelândia. Mas os maiores elogios ficaram mesmo com os "Leões Africanos", como passaram a ser chamados, a partir de então, os jogadores camaroneses. Nomes como o goleiro N'Kono (eleito o melhor daquele Mundial) e o centroavante Roger Milla entraram para a história do futebol — menos pelo fato de terem sido eliminados ainda na primeira fase, sem, no entanto, terem perdido uma única partida (só ficaram de fora da etapa seguinte porque marcaram um gol a menos do que a Itália), e mais pelo futebol alegre, ofensivo e descompromissado que mostraram.

Contudo, o fato mais curioso se deu no jogo França x Kuwait. O príncipe Fahad Al-Ahmed Al-Jaber Al-Sabah não se conformou ao ver sua seleção levar um gol em completo impedimento, marcado pelo meia Giresse. Sem se importar com absolutamente nada, Fahad invadiu o gramado, reuniu seus jogadores e os orientou a deixarem o campo caso o apitador soviético Miroslav Stupar não voltasse atrás em sua decisão (se bem que, oficialmente, o príncipe — que também era o presidente da federação de futebol do seu país — tenha afirmado que sua ação visara a justamente o contrário, ou seja, obrigar seus atletas a permanecerem jogando). Sentindo-se claramente pressionado pela presença real, o árbitro anulou o gol francês.

1986: Mais Velhos, Mais Ricos e Mais Perdedores. E "La Mano de Dios"

Novamente treinado por Telê Santana, o Brasil era bem parecido com o de 1982. Aliás, o técnico apostou em vários nomes que estiveram ao seu lado na Espanha, como, por exemplo, Júnior, Zico, Sócrates e Falcão. Mas se esqueceu o treinador de um detalhe muito importante: todos estavam quatro anos mais velhos, quatro anos mais ricos e quatro anos mais desmotivados.

Mesmo assim, o time até que cumpriu uma campanha razoável. Venceu as três partidas da primeira fase — 1 x 0 na Espanha, 1 x 0 na Argélia e 3 x 0 na Irlanda do Norte. Passou fácil pelas oitavas, 4 x 0 na Polônia, e chegou como favorito às quartas de final, diante da França.

E bem poderia ter vencido, pois quando o jogo estava 1 x 1, Zico perdeu um pênalti aos 30 minutos da segunda etapa que, tudo leva a crer, nos garantiria a vitória. Com o empate no tempo normal, veio a prorrogação e, como nesta não houve vencedor, a decisão foi para os penais.

E, então, o galo — e não o Galinho — cantou mais alto: a França venceu por 4 x 3.

O craque que ganhou a Copa sozinho: para muitos argentinos, Maradona foi melhor do que Pelé. Exagero? Com certeza, mas por outro lado há algo que Diego conseguiu e que Édson não: ganhar uma Copa do Mundo sozinho.

Pode parecer absurdo fazer tal afirmação, mas o camisa 10 da Argentina brilhou tanto no México, que se torna fácil admitir que, se não fosse por ele, outra seleção teria ganhado aquela Copa.

Em gramados mexicanos, El Pibe de Oro fez de tudo: armou, desarmou, lançou, combateu, marcou um gol com a mão (ou com "la mano de Dios", como dizem os argentinos) e, também, o mais bonito de toda a história das Copas do Mundo (ambos contra a Inglaterra).

Maradona: para alguns, melhor do que Pelé

Na grande final, um jogo duríssimo diante da Alemanha, uma vitória por 3 x 2 e o gol do bicampeonato mundial marcado aos 35 minutos do segundo tempo. Não foi de Maradona, foi de Burruchaga.

1990: O Brasil Perde para seus Próprios e Escusos Interesses. E Não Deu para Maradona

Um fiasco e uma vergonha.

Desta forma pode ser definida a campanha da Seleção Brasileira na Copa de 1990. Dirigida por Sebastião Lazaroni, que cedeu às pressões de Eurico Miranda, então homem forte da CBF, e convocou os jogadores que o cartola queria, a equipe chegou enfraquecida, desunida, brigando por prêmios maiores e também com o patrocinador oficial da equipe.

Diante de um quadro assim, não se poderia esperar outra coisa senão um futebol burocrático, defensivo — foi a primeira vez que se utilizou o esquema 3-5-2, então desconhecido no país — e, consequentemente, feio. As três apertadas vitórias na primeira fase (2 x 1 na Suécia, 1 x 0 na Costa Rica e 1 x 0 na Escócia) já prenunciavam dias difíceis, e ainda por cima demos a falta de sorte de cruzar, logo nas oitavas, com a Argentina.

E aí todo mundo se lembra: jogada e passe de Maradona, Caniggia driblando Taffarel e a Seleção Brasileira voltando pra casa após jogar apenas quatro partidas.

A Copa que deu sono: a Copa de 1990 foi, sem dúvida alguma, a mais sem graça de todos os tempos. Poucos gols, partidas tecnicamente ruins, arbitragens ainda piores. A se comemorar, apenas, dois fatores: a perfeita organização da Itália, país-sede do torneio, e a seleção de Camarões que, mais uma vez, chamou a atenção do mundo graças a seu futebol alegre e irresponsável, mas também bonito de se ver, "como o que se jogava antigamente". Os camaroneses se classificaram em primeiro no grupo e só foram eliminados nas quartas, na prorrogação, e com um gol de pênalti, pela Inglaterra (3 x 2).

Para se ter uma ideia do quão chata foi a competição, basta dizer que Alemanha e Argentina se classificaram à grande final passando por Itália e Inglaterra, respectivamente, somente nos pênaltis. Aliás, argentinos e alemães repetiram a final de quatro anos antes, numa prova incontestável de que, na época, eram os grandes reis do futebol mundial.

Na decisão, uma magérrima vitória da Alemanha por 1 x 0 — gol de pênalti aos 40 do segundo tempo — teve sabor de vingança.

1998: Convulsão, Confusão e Decepção. E a França se Aproveita

Poucas vezes o Brasil chegou a uma Copa do Mundo envolto em tanto favoritismo quanto em 1998. Tínhamos um time fortíssimo em todos os setores, e o já veterano técnico Zagallo soube convocar a Seleção sem criar muita polêmica quanto aos jogadores que não relacionou.

Mas os problemas começaram ainda antes da estreia. Com uma contusão muscular, Romário foi cortado e, desta forma, o Brasil perdeu seu genial atacante. Mesmo assim, a forte equipe conseguiu se impor aos adversários e, apesar de um tropeço na primeira fase — derrota de virada por 2 x 1 para a Noruega —, chegou com méritos à grande decisão, eliminando, na sequência, Chile, Dinamarca e Holanda (esta, somente nos pênaltis).

Tudo estava pronto para o penta, mesmo tendo pela frente na grande decisão a França, dona da casa. Mas, no hotel, pouco depois do almoço que antecedeu a partida final, o centroavante Ronaldo "Fenômeno", então conhecido apenas por "Ronaldinho", sofreu uma convulsão que deixou todos em estado de choque. Levado ao hospital, fez uma série de exames que nada detectaram de anormal.

Zagallo chegou a confirmar Edmundo no time titular, mas Ronaldinho se apresentou já nos vestiários e se ofereceu para atuar. Escalado, não jogou absolutamente nada e viu os franceses, sem grandes esforços, golearem por 3 x 0 um Brasil visivelmente abalado emocionalmente por causa do problema que envolveu seu principal atleta.

Era pra dar Brasil, mas… A França conseguiu tudo o que quis no aspecto esportivo em 1998: teve a honra de sediar a Copa do Mundo, a capacidade de chegar à decisão, o privilégio de disputá-la com o Brasil e a suprema felicidade de vencê-la pela primeira vez, e diante de 80.000 torcedores. E tudo isso graças a um bom técnico (Aimè Jacquet), a um ótimo time (nomes como Barthez, Blanc, Thuran, Petit e Deschamps se destacaram durante o Mundial) e a um excepcional jogador (Zinédine Zidane).

Zidane desbancou Platini e se tornou
o maior craque francês em todos os tempos

Filho de argelinos, o cara foi o grande comandante da equipe na competição. E como craques sempre se destacam em jogos decisivos, coube a ele ser o grande nome da finalíssima contra o Brasil.

Pode até ser exagero, é verdade, mas houve quem comparasse seu feito ao de Maradona na Copa de 1986, pois para muitos Zizou ganhou aquela Copa sozinho.

2006: O "Remake" que Não Deu Certo.
E Surge Mais um Gênio Falando Português

Desorganização e falta de comando.

Desta forma podemos definir os problemas que levaram a fortíssima Seleção Brasileira a uma campanha tão simplória na Copa do Mundo da Alemanha. Contando com jogadores de ótima qualidade — mesmo reconhecendo que, então, Ronaldo já começava a enfrentar os problemas de excesso de peso —, era inegável que o Brasil detinha o favoritismo.

Os problemas, porém, começaram antes mesmo da estreia. Ainda na fase final de preparação, era visível a falta de seriedade com a qual a maioria dos jogadores encarava os treinamentos. Brincadeiras em excesso, um notório descompromisso com a camisa amarela e até mesmo algumas bebedeiras e farras nas noites de folga foram, aos poucos, minando a força do time como um todo. Tudo isso sob a complacência de Carlos Alberto Parreira, treinador que a CBF decidiu recolocar à frente do time, sonhando, claro, com um repeteco do que acontecera 1994.

O resultado foi a eliminação nas quartas de final diante de uma França infinitamente inferior.

Dois gênios estreiam em Copas: de tudo o que cerca e envolve uma Copa do Mundo, sempre existe algo que mais chama a atenção. E, na edição de 2006, sem dúvida este "algo" foi a seleção de Portugal. O primeiro motivo é que em sua equipe estreava em Mundiais o craque Cristiano Ronaldo, então com apenas 21 anos, mas já apontado como futuro melhor jogador do mundo. O segundo é porque em seu comando estava ninguém menos do que o técnico que detinha então a condição de atual campeão do mundo, o brasileiro Luiz Felipe Scolari.

A Copa de 2006 foi a primeira de um futuro gênio: Cristiano Ronaldo

Sob o comando de Felipão, os portugueses cumpriram excelente campanha, chegando às semifinais, mas sendo eliminados pela França (1 x 0, gol de pênalti). Na disputa pelo terceiro lugar, a derrota para a Alemanha não arranhou o trabalho do treinador, que, juntamente com seus jogadores, foi recebido com festa pela torcida quando retornaram a Lisboa.

Um outro detalhe envolvendo a seleção portuguesa naquela Copa também merece destaque: no jogo contra a Holanda, válido pelas oitavas, foi anotado o maior número de cartões exibidos em um só jogo de Mundial: ao todo, o árbitro russo Valentin Ivanov exibiu nada menos do que 20 advertências, sendo 16 cartões amarelos e quatro vermelhos (todos por segundo amarelo).

Na grande final, Itália e França se enfrentaram, e, após um empate por 1 x 1 no tempo normal e na prorrogação, a decisão se deu em cobranças de pênaltis. E a Azzurra foi perfeita: acertou as cinco, chegou ao tetracampeonato e se igualou ao Brasil na condição de país que mais vezes vencera uma Copa do Mundo até então.

Ah, sim: a Copa da Alemanha foi a primeira do argentino Lionel Messi.

2010: Sem Branca de Neve, mas com um Anão. E um Erro Duplo nos Tira da Copa

Logo após a perda da Copa de 2006, iniciou-se um processo de reformulação no Selecionado Nacional. Carlos Alberto Parreira foi substituído por Dunga, capitão da equipe tetracampeã do mundo em 1994 e que até então não havia dirigido sequer um time de base. Daí a saraivada de críticas que o então presidente da CBF, Ricardo Teixeira, recebeu por parte da imprensa e também dos torcedores.

No comando do Brasil, porém, Dunga até que não foi tão mal: faturou os títulos da Copa América de 2007 e da Copa das Confederações de 2009 e, nas Eliminatórias, cumpriu uma campanha relativamente tranquila, com nove vitórias e apenas duas derrotas em 18 jogos, resultados que garantiram à equipe o primeiro lugar na classificação geral.

Já no Mundial da África do Sul, o desempenho foi bom na primeira fase, com vitórias sobre as seleções da Coreia do Norte (2 x 1) e Costa do Marfim (3 x 1), e um empate sem gols com Portugal. Na etapa seguinte, o placar mais tranquilo até então: 3 x 0 sobre o Chile e vaga garantida nas quartas de final. E aí não deu: diante da fortíssima Holanda, o Brasil começou bem melhor, saiu na frente com um chute de primeira de Robinho, mas, no segundo tempo, com direito à lambança dupla do volante Felipe Melo e do goleiro Júlio César no primeiro gol, permitiu a virada holandesa. E o sonho do hexa foi adiado mais uma vez.

Um campeão "furioso": antigo desejo do suíço Joseph Blatter, então presidente da FIFA, a 19ª edição da Copa do Mundo finalmente aconteceu em solo africano. E o país escolhido foi a África do Sul, justamente o mesmo que, durante décadas, ficou de fora de competições esportivas por manter em vigência o regime racista do Apartheid.

Três dos cinco maiores favoritos chegaram às semifinais da competição: Alemanha, Espanha e Holanda. Os outros dois, Argentina e Brasil, ficaram pelo caminho e, assim, a América do Sul foi representada nesta etapa do torneio pelo surpreendente Uruguai. No entanto, a Celeste não foi páreo para a "Laranja Mecânica" e perdeu (3 x 2) a vaga na grande decisão.

A finalíssima teve a presença dos espanhóis, com o seu famoso estilo "tiki-taka" — que encantava o mundo pela rapidez e a qualidade com que seus atletas tocavam a bola —, como franco favoritos à conquista de seu inédito título justamente em sua primeira final de Copa do Mundo. E não deu outra: comandada pelo gênio Iniesta, autor do gol da vitória por 1 x 0 aos 11 do segundo tempo da prorrogação, a "Fúria" entrou, com toda a justiça, para o seleto grupo de campeões mundiais.

2014: A Maior Vergonha de Todos os Tempos. E o Ocaso de um Grande Campeão

Nem o mais pessimista torcedor brasileiro em seu pior pesadelo poderia imaginar o que aconteceria com o Brasil na Copa do Mundo de 2014. Neymar, então com 22 anos, mas já com status de estrela internacional, era a grande aposta da nossa equipe, mas sucumbiu diante da violência com que foi marcado e que acabou deixando-o de fora do Mundial a partir da semifinal.

Antes, porém, da Copa propriamente dita, a Seleção Brasileira não empolgava. Com vaga garantida por ser o país-sede, a Canarinho — que tinha em seu comando Mano Menezes — dividiu o tempo entre amistosos e competições oficiais, como a Copa América de 2011, na qual deu vexame ao ser eliminada ainda na segunda fase pelo Paraguai, após perder inacreditáveis quatro pênaltis seguidos. Mesmo após a péssima campanha, a CBF optou por manter o treinador, que, no entanto, não resistiu a um futebol sem brilho e sem vitórias sobre grandes seleções e acabou demitido em novembro de 2012.

O escolhido para tentar o hexa foi justamente... o técnico do penta. Campeão da Copa do Brasil daquele ano com o Palmeiras, Felipão foi convidado pelo então presidente da CBF, José Maria Marin, e aceitou a missão. Até começou bem, faturando o título da Copa das Confederações em 2013 com um incontestável placar na final sobre a Espanha: 3 x 0.

Uma primeira fase sem brilho, uma vitória nos pênaltis sobre o Chile (que acertou o travessão instantes antes do fim da prorrogação) nas oitavas e outra, dificílima, sobre a Colômbia (2 x 1) na etapa seguinte garantiram a vaga nas semifinais. Só que o adversário era a seleção mais forte do mundo na oportunidade que, sem dó nem piedade, aplicou os inesquecíveis 7 x 1 dos quais nos recordaremos para todo o sempre. Na disputa pelo terceiro lugar, outro vexame, mas um pouco menor: uma derrota por 3 x 0 para a Holanda encerrou de forma melancólica a participação do Brasil em sua Copa do Mundo e de Felipão no comando da nossa Seleção.

O país do futebol, mas não do hexa: após 64 anos, o Brasil ganhara o direito e o privilégio de sediar uma Copa do Mundo pela segunda vez. Ainda que houvesse fracassado na primeira, agora todos apostavam que o fator casa seria fundamental para que o hexa, enfim, viesse.

O título ficou com o país que à época melhor jogava futebol, a Alemanha. É bem verdade que o caminho até a conquista do tetracampeonato mundial não foi tão fácil quanto o que teve nas semifinais. Já nas oitavas, por exemplo, os alemães só conseguiram vencer a Argélia por 2 x 1 — e na prorrogação. Mas, após eliminar a França na etapa seguinte e humilhar o Brasil logo depois, chegaram à decisão contra a igualmente fortíssima Argentina, que sonhava ser tricampeã do mundo em pleno Maracanã.

Não deu para *nuestros hermanos*: comandado por Toni Kroos e tendo em seu time craques do nível de Neuer, Lahm, Hummels, Schweinsteiger, Thomas Müller, Özil e Klose, o selecionado alemão sofreu, é verdade, mas conseguiu vencer Messi, Mascherano, Higuaín, Agüero e que tais por 1 x 0, com um gol marcado pelo reserva Götze a sete minutos do fim da prorrogação.

2018: Muito Cabelo e Pouca Bola. E Dá a Lógica no Fim

Depois da vergonha de 2014, a CBF decidiu que era hora de colocar ordem na casa, de moralizar o futebol brasileiro. Para tanto, preferiu dar mais uma chance a Dunga, que já fracassara na Copa do Mundo de 2010. Além disso, para a vital função de coordenador optou por Gilmar Rinaldi, goleiro reserva na vitoriosa campanha de 1994, mas que, desde quando encerrara sua carreira, transformara-se em empresário de jogadores de futebol.

A escolha dos dois gaúchos pegou mal demais, e a imprensa não perdoou a dupla, criticando, com razão, o trabalho da comissão técnica antes mesmo que estreasse. Os jornalistas pareciam antecipar o que estava por vir: o Brasil fracassou na Copa América de 2015, sendo eliminado já na segunda fase pelo Paraguai, e também na Copa América Centenário do ano seguinte, nos Estados Unidos, onde foi muito pior: acabou sua participação ainda na primeira fase, ao terminar em terceiro lugar em uma chave que tinha Peru, Equador e Haiti.

Tais resultados, somados a uma fraquíssima campanha nas Eliminatórias (até a paralisação em razão justamente da competição comemorativa, após a 6ª rodada, nossa Seleção ocupava apenas a 6ª colocação — ou seja: estava momentaneamente fora do Mundial de 2018), causaram as demissões de Dunga e Gilmar, que foram então substituídos por Tite e Edu Gaspar, respectivamente.

Tido e havido como o melhor e mais preparado técnico do país, o novo treinador assumiu o comando do Selecionado Nacional e mudou completamente o que se vira até então: fez com que a equipe chegasse aos 41 pontos, vencesse 10 dos 12 jogos que disputou e terminasse como campeã das Eliminatórias Sul-Americanas com nada menos do que 10 pontos de vantagem em relação ao segundo colocado, o Uruguai.

Todos esses números encheram de confiança a torcida brasileira, para quem a conquista do hexa na Rússia era mais do que uma esperança — era uma certeza. Nem mesmo a campanha apenas razoável na primeira fase, com um empate com a Suíça (1 x 1) e duas difíceis vitórias sobre Costa Rica (2 x 0) e Sérvia (2 x 0) abalaram o otimismo nacional, que só aumentou após outro 2 x 0, dessa vez sobre o México e válido pelas oitavas.

O detalhe é que, até então, o Brasil não havia enfrentado nenhuma seleção que de fato jogasse um futebol top. E isso aconteceu logo na partida seguinte, diante do melhor time que a Bélgica já conseguira formar em toda a sua história. Não deu outra: surpreendida pelo inegável talento de Hazard e seus companheiros, a nossa Seleção perdeu por 2 x 1 e adiou por, pelo menos, mais quatro anos o tão sonhado hexacampeonato mundial.

Ah, também teve Neymar. Mas ele pareceu mais preocupado com o corte e a pintura do seu cabelo, e também em simular faltas do que em jogar bola.

Allez les Bleus!: a 21ª edição da Copa do Mundo pode ser apontada como uma das que mais surpresas apresentou. A começar pela precoce eliminação da então atual campeã, a Alemanha, que perdeu para a simplória Coreia do Sul e viu Suécia e México ficarem com as duas vagas do grupo. Outro país que decepcionou foi a Espanha, que não ganhou de Marrocos na fase de grupos e, já nas oitavas, foi eliminada, nos pênaltis, pelos donos da casa. Por fim, pode-se citar dentre as decepções também a Argentina, que só avançou à segunda fase graças a uma heroica vitória sobre a Nigéria, mas logo depois perdeu para a França.

Por falar nos franceses, eles simplesmente confirmaram aquilo que deles se esperava: um ótimo futebol e uma campanha elogiável. Inserida no grupo dos favoritos à conquista, eliminaram, além dos argentinos nas oitavas, também os uruguaios nas quartas e os belgas na semifinal. E, na grande decisão, nem tomaram conhecimento da surpreendente Croácia, metendo um 4 x 2 e faturando seu bicampeonato.

De quebra, a França revelou mais um jovem candidato a futuro melhor jogador do mundo: Kylian Mbappé. Com apenas 19 anos, seis meses e 20 dias, o craque se tornou o segundo atleta com menos de 20 anos a se sagrar campeão mundial. O primeiro? Pelé, que, em 1958, tinha apenas 17.

2022: Errar é Humano, mas Insistir no Erro... E um Prêmio a um Gênio da Bola

Assim que terminou a participação do Brasil no Mundial da Rússia, muitos esperavam pela troca no comando da Seleção Brasileira. Afinal, o único treinador a perder uma edição de Copa do Mundo e ser mantido para o torneio seguinte fora ninguém menos que Telê Santana (1982/1986), considerado um dos melhores (e por alguns o melhor) técnicos de toda a história do futebol nacional.

Mas decidiu a CBF que Tite, apesar do decepcionante 6º lugar, seria mantido para a competição que aconteceria no Catar. E o que se viu foi mais do mesmo: uma seleção envelhecida, totalmente dependente de Neymar, composta por vários jogadores pouco conhecidos (ou mesmo desconhecidos) pelo torcedor, e que em nenhuma das seis partidas que disputou conseguiu arrancar um mísero suspiro de quem as assistiu. Nas quartas de final, empate por 1 x 1 com a Croácia e derrota nos pênaltis.

Resultado final: uma colocação ainda pior — 7º lugar — e, pelo menos, mais quatro anos na fila.

A justiça tarda, mas não falha: disputada pela primeira vez no Oriente Médio, a Copa do Mundo de 2022 foi, também, a primeira a ser jogada em outro período do ano que não os meses de junho e julho. Motivo: com temperaturas escaldantes — que no verão variam entre 45°C e 50°C durante o dia —, o Catar convenceu a FIFA a realizar a competição entre novembro e dezembro, ou seja, durante o inverno no país, período em que os termômetros ficam em torno de *apenas* 25°C, na média.

O maior problema nesse Mundial foi o choque de cultura entre um país islâmico e o restante do mundo. O consumo de bebidas alcoólicas, inclusive cerveja, foi proibido nos estádios e arredores, sendo exclusivo a torcedores estrangeiros, em locais específicos e por um período limitado. Além disso, e com certeza muito mais grave, foi a proibição por parte das autoridades cataris de toda e qualquer manifestação — fosse de atleta, dirigente ou mesmo torcedor — contra a homofobia, já que no país a homossexualidade é considerada um ato criminoso. Mesmo assim, atos isolados aconteceram e foram punidos.

Se fora de campo a Copa do Mundo do Catar foi uma enorme confusão, dentro dele tudo correu da melhor forma (apesar da apreensão geral devido ao grave estado de saúde do Rei Pelé, que viria a falecer poucos dias após o término da disputa). As surpresas negativas ficaram por conta de Uruguai e Alemanha, que terminaram nas pra lá de modestas 20ª e 17ª colocações, respectivamente. Por outro lado, a grande surpresa foi a aplicada seleção do Marrocos, a primeira africana a chegar às semifinais e que só não decidiu o título porque teve a poderosa França em seu caminho.

Por falar nos franceses, o vice-campeonato lhes teve um sabor de vitória — com muitos desfalques de última hora, a seleção europeia vendeu caro demais a derrota para a Argentina na grande decisão: após estar perdendo por 2 x 0 no tempo normal, chegou ao empate com dois gols seguidos, aos 35 e aos 36 minutos do segundo tempo, ambos marcados por Mbappé. Na prorrogação, nova desvantagem no placar e novo empate, este a dois minutos do fim e de novo através de seu maior craque. A decisão, então, foi para os penais, onde os argentinos foram mais eficazes e conseguiram o tricampeonato mundial ao vencerem por 4 x 2.

Desta forma, a Copa do Mundo enfim chegava às mãos daquele que foi um dos melhores jogadores de toda a história do futebol: Lionel Messi.

As Copas que Ganhamos

1958: O Mundo Descobre o Brasil

Todo mundo sabe que Pelé surgiu para os olhos do mundo na Copa de 1958, disputada na Suécia, mas o que pouca gente sabe é que aquele então adolescente de apenas 17 anos ficou de fora dos dois primeiros jogos (3 x 0 na Áustria e 0 x 0 com a Inglaterra). Aliás, Pelé — e também Garrincha — só entraram no time por imposição de vários jogadores, dentre eles o capitão Bellini.

Assim, Joel e Dida, titulares até então, perderam a vaga para Mané e Gasolina, como os dois gênios eram conhecidos antes da fama. A partir do encontro com a União Soviética, ambos passaram a comandar o time ao lado de Didi e com ajuda de Vavá, que ganhara a posição de Mazzola. O resultado não poderia mesmo ter sido outro que não o tão esperado primeiro título mundial.

Até lá, comandado por Vicente Feola, o Brasil eliminou o País de Gales nas quartas de final (1 x 0, com Pelé marcando seu primeiro gol em Copas do Mundo) e a França na semifinal (5 x 2, com o futuro Rei do Futebol balançando as redes *apenas* três vezes). Na grande decisão, contra os donos da casa, outro show de bola dos brasileiros e mais uma goleada por 5 x 2 garantiram a taça.

Na comemoração, surgiu a famosa marchinha: "A taça do mundo é nossa, com o brasileiro, não há quem possa".

E o mundo, no dia 29 de junho de 1958, descobriu o Brasil.

Didi foi eleito o melhor jogador da Copa do Mundo de 1958

1962: "Vocês Vão Ver Como É..."

"Vocês vão ver como é/Didi, Garrincha e Pelé/Dando seu baile de bola..." O começo da música "Frevo do Bi", de autoria de Silvério Pessoa e gravada por Jackson do Pandeiro, exprimia com nitidez toda a euforia da torcida.

Com apenas 21 anos, Pelé já era um monstro sagrado do futebol. Por isso, todas as atenções estavam voltadas para ele na Copa do Mundo de 1962, no Chile. Aliás, as atenções eram também dos adversários, que não o poupavam das entradas violentas.

Mas não foram as faltas que tiraram o craque daquele Mundial. Após jogar bem e marcar um dos gols da vitória na estreia (2 x 0) sobre o México (o outro foi de Zagallo), Pelé sofreu uma contusão muscular na segunda partida (empate sem gols com a Tchecoslováquia).

Sem o seu melhor jogador, o Brasil certamente se perderia em campo, certo? Errado. Pelé era o maior, mas não o único craque daquele time. Havia, ainda, Garrincha, Didi, Vavá e... Amarildo. Exatamente: coube ao até então pouco badalado meia do Botafogo ocupar o lugar do craque santista e brilhar naquele Mundial.

Logo em sua estreia, diante da Espanha, ele marcou os dois gols da vitória por 2 x 1 (numa partida que, admite-se, os espanhóis foram escandalosamente prejudicados pelo árbitro chileno Sérgio Bustamante). E fez também um dos gols da final, na qual a Seleção Brasileira venceu os tchecos por 3 x 1.

Não à toa, Amarildo voltou do Chile com a faixa de bicampeão mundial e o merecido apelido de "Possesso".

Garrincha: ele foi o "Pelé" na campanha do bi, no Chile

1970: Noventa Milhões em Ação. E em Campo um "Furacão"

Apesar da tranquila classificação nas Eliminatórias, o Brasil chegou à Copa de 70 totalmente desacreditado. E a principal razão para que isso acontecesse fora a troca do comando técnico, que por influência do então presidente da República, Emílio Garrastazu Médici, saiu das mãos de João Saldanha e passou às de Zagallo. A decisão do novo técnico em armar uma linha ofensiva com cinco camisas 10 foi severamente criticada por torcida e imprensa.

Muito embora ninguém discutisse a qualidade técnica de Jairzinho, Gérson, Tostão, Pelé e Rivellino, também eram raríssimos aqueles que acreditavam que um time que jogaria sem pontas e nem centroavante poderia dar certo.

Mas deu. E como deu! O Brasil passou como um rolo compressor por cima de quase todos os adversários. A única exceção foi a Inglaterra, vencida apenas por 1 x 0 graças a uma atuação soberba de seu goleiro, o inesquecível Gordon Banks. Na semifinal, eliminar o Uruguai teve um leve sabor de vingança devido à derrota de 20 anos antes, no Maracanã.

Já na decisão, diante da Itália, estava em jogo qual seria o primeiro país a ser tricampeão mundial de futebol e, assim, garantir a posse definitiva da Taça Jules Rimet. Mas não havia comparações entre italianos e brasileiros, e o placar final — 4 x 1 — espelhou fielmente a diferença técnica entre as duas seleções.

Se, como dizia a famosa canção, eram 90 milhões de brasileiros em ação, nos campos mexicanos foi um grande "Furacão" o maior destaque. Carregando este apelido, Jairzinho atuou deslocado pela ponta-direita e, dentre *otras cositas más*, fez gols em todos os jogos, sendo o único jogador até hoje a conseguir tal façanha.

Jairzinho se transformou no "Furacão" da Copa de 1970

E roubaram a Taça: o Brasil talvez seja o país onde mais fatos inesperados acontecem. Um bom exemplo disso se deu em 19 de dezembro de 1983, quando a Taça Jules Rimet, garantida em definitivo pela Seleção Brasileira após a conquista da Copa do Mundo de 1970, foi roubada de dentro da sede da CBF, que então ficava na rua da Alfândega, em pleno Centro do Rio de Janeiro.

O evento ganhou uma enorme repercussão mundial, e talvez por isso a polícia tenha agido com elogiável rapidez na elucidação do roubo. Ao todo, foram presos quatro elementos: Sérgio Pereira Ayres, o "Sérgio Peralta"; Francisco José Rocha Rivera, o "Chico Barbudo"; José Luiz Vieira da Silva, o "Luiz Bigode"; e Juan Carlos Hernandez, este apenas o ourives que recebeu e, em seguida, derreteu o troféu de cerca de 3,8 kg de ouro e que valia, então, 18 milhões de cruzeiros (algo em torno de R$ 654 mil em 2022).

Vale lembrar que aquela não foi, porém, a primeira vez que a taça acabou surrupiada. Em março de 1966, pouco antes da Copa do Mundo da Inglaterra, ela também sofreu a mesma ação, mas foi encontrada, intacta, sete dias depois, por um cachorro chamado Pickles, que passeava com seu dono por uma praça no sul de Londres.

1994: É Tetra!!!

Talvez por nunca ter jogado futebol profissionalmente, o técnico Carlos Alberto Parreira sempre foi mais teórico do que prático. Assim, a Seleção Brasileira que montou para a Copa do Mundo dos Estados Unidos, em 1994, era bem parecida com ele próprio.

Sua principal aposta foi extremamente criticada, mas não é que acabou dando certo?

Parreira "ressuscitou" o volante Dunga, que se tornara o símbolo do fracasso do time quatro anos antes, na Itália. E o jogador, galgado à condição de capitão da equipe, tornou-se o grande líder da nossa Seleção.

Com um futebol pragmático e sem brilho, o Brasil foi passando por seus adversários, mesmo encontrando mais dificuldades do que era de se esperar. Na final, contra a Itália, um angustiante empate por 0 x 0 — tanto no tempo normal quanto na prorrogação — empurrou a decisão para os penais. Neles, contamos com a péssima pontaria do atacante Roberto Baggio, que mandou para os ares a decisiva cobrança e nos garantiu o título.

O detalhe interessante de tudo isso é que, em 1970, brasileiros e italianos disputaram a honra de ser os primeiros tricampeões mundiais, e nós levamos a melhor. Vinte e quatro anos mais tarde, disputávamos com os mesmos adversários honraria ainda maior, a de quem seria o primeiro tetracampeão mundial. E, mais uma vez, a festa foi verde e amarela.

Se não fosse Romário, o Brasil não teria sido tetra em 1994

2002: A FAMÍLIA SCOLARI

Nunca antes o Brasil havia sofrido tanto para se classificar a uma Copa do Mundo. Três técnicos — Vanderlei Luxemburgo, Leão e Luiz Felipe Scolari — não conseguiram dar à Seleção um padrão de jogo compatível com a sua tradição, tampouco com os jogadores que estavam em campo. Aos trancos e barrancos, porém, o Selecionado Nacional chegou ao Mundial que, pela primeira vez, foi organizado por duas nações: o Japão e a Coreia do Sul.

Mas, assim que a Copa começou, foi um passeio depois do outro. Turquia (2 x 1), China (4 x 0), Costa Rica (5 x 2), Bélgica (2 x 0), Inglaterra (2 x 1) e, novamente, Turquia (1 x 0) foram derrotadas. Na grande final, um jogo inédito na história dos Mundiais: Brasil x Alemanha.

Desfalcada de seu melhor jogador, o meia ofensivo Ballack, a seleção alemã não foi páreo à brasileira, que venceu por 2 x 0 com dois gols do Fenômeno e se garantiu como a única pentacampeã dentre todos os 211 países filiados à FIFA.

Ronaldo, o "Fenômeno", é o maior exemplo de superação
na história da Seleção Brasileira

Todos os Campeões, Vices, 3ºs e 4ºs Colocados da Copa do Mundo

ANO	CAMPEÃO	VICE	3º COLOCADO	4º COLOCADO
1930	Uruguai	Argentina	Estados Unidos	Iugoslávia
1934	Itália	Tchecoslováquia	Alemanha	Áustria
1938	Itália	Hungria	BRASIL	Suécia
1950	Uruguai	BRASIL	Suécia	Espanha
1954	Alemanha	Hungria	Áustria	Uruguai
1958	BRASIL	Suécia	França	Alemanha
1962	BRASIL	Tchecoslováquia	Chile	Iugoslávia
1966	Inglaterra	Alemanha	Portugal	União Soviética
1970	BRASIL	Itália	Alemanha	Uruguai
1974	Alemanha	Holanda	Polônia	BRASIL
1978	Argentina	Holanda	BRASIL	Itália
1982	Itália	Alemanha	Polônia	França
1986	Argentina	Alemanha	França	Bélgica
1990	Alemanha	Argentina	Itália	Inglaterra
1994	BRASIL	Itália	Suécia	Bulgária
1998	França	BRASIL	Croácia	Holanda
2002	BRASIL	Alemanha	Turquia	Coreia do Sul
2006	Itália	França	Alemanha	Portugal
2010	Espanha	Holanda	Alemanha	Uruguai
2014	Alemanha	Argentina	Holanda	BRASIL
2018	França	Croácia	Bélgica	Inglaterra
2022	Argentina	França	Croácia	Marrocos

Nota: todas as menções são à Alemanha Ocidental.

A Evolução/Involução dos Principais Esquemas Táticos

Se o futebol atual ainda lhe provoca emoções, se faz com que você vibre de alegria ou chore de tristeza ao fim de cada decisão, saiba que tais sentimentos eram muito mais intensificados nos primeiros anos em que se passou a correr atrás de uma bola pelos gramados de todo o país. É que o jogo de bola de antigamente era infinitamente mais apaixonante do que o atual, e por uma razão muito simples: ele era, também, infinitamente mais ofensivo.

Com o passar do tempo e a necessidade cada vez maior de se conseguir a vitória ou mesmo o empate a qualquer custo, os esquemas táticos foram se tornando cada vez mais defensivos, priorizando as defesas ou, como ainda se diz hoje em dia, as retrancas (e, consequentemente, a força física).

A seguir, você verá como as táticas criadas pelos treinadores foram, gradativa porém constantemente, fazendo com que o número de gols diminuísse e, desta forma, também se tornassem menos emocionantes as partidas.

2-3-5: A Ordem É Atacar

O primeiro esquema adotado no mundo todo e, claro, também no Brasil, era, pelo menos na teoria, extremamente ofensivo.

O 2-3-5 era composto por dois zagueiros centralizados, três médios (um direito, um esquerdo e outro central) e nada menos do que cinco atacantes (dois pontas abertos, dois meias avançados e um centroavante centralizado). Nesta forma de jogar, a função do armador, o famoso "camisa 10" de anos mais tarde, era realizada (veladamente, na verdade) pelo médio-central, mas na maioria das vezes a bola só chegava ao pessoal da frente via chutões do pessoal de trás, já que nem zagueiros e nem médios ousavam passar da linha de meio-campo. No Brasil, o 2-3-5 durou aproximadamente até 1958.

WM: Um Gênio Chamado Herbert Chapman

Após cinco anos no comando do londrino Arsenal, sem muito sucesso — o máximo que conseguira fora o vice-campeonato da temporada 1925/26 —, Herbert Chapman percebeu que o fato de as equipes atuarem com cinco atacantes não fazia necessariamente com que o número de gols que marcavam fosse alto. E descobriu que a causa disso era a ausência de jogadores que tivessem como principal função a armação de jogadas, tempos depois batizados de "meias".

Visando ao fim deste problema, ele adaptou o 2-3-5 de uma maneira muito simples mas, ao mesmo tempo, criativa e revolucionária: adiantou e centralizou os médios direito e esquerdo para a intermediária defensiva, transformando-os no que atualmente seriam os dois volantes, e recuou e centralizou dois dos atacantes para a intermediária ofensiva, transformando-os nos meias. Notaram? Para tornar o futebol mais ofensivo, ele pôs mais *atrás* — e não mais *à frente* — atletas que antes só atacavam! Vistos de cima, os 10 jogadores de cada time formavam duas letras, o W e o M.

Não à toa atuando desta forma, os "Gunners" faturaram os títulos do Campeonato Inglês nas temporadas de 1930/31, 1932/33, 1933/34 e 1934/35, além de terem sido vice-campeões em 1931/32.

Não resta dúvida: Herbert Chapman foi o primeiro estrategista da história do futebol.

4-2-4: A Era do Romantismo

Adotado no Brasil durante quase duas décadas (mais especificamente entre 1959 e 1978), o 4-2-4 foi essencial para o surgimento e o fortalecimento do meia de armação, geralmente o craque do time. Nele, as equipes jogavam com apenas dois defensores (o destro, que atuava pela direita e era conhecido como "zagueiro central", e o canhoto, que jogava pelo lado esquerdo e era chamado de "quarto zagueiro", muito embora na prática fosse o terceiro). Além deles, também compunham a defesa dois laterais, um de cada lado do gramado, cuja função era exclusivamente a marcação dos pontas adversários.

Por falar neles, tratava-se de jogadores que atuavam abertos pelas beiradas do campo e eram quase sempre muito velozes — daí muitos terem incorporado a seus nomes denominações como "bala", "flecha", "raio". Seu objetivo era levar a bola à linha de fundo e cruzar para a entrada da área, onde estavam os dois meias, ou um pouco mais à frente, em busca do centroavante.

Este esquema é considerado o ápice do romantismo no futebol, pois permitiu o surgimento de inesquecíveis camisas 10 em todo o planeta.

4-3-3: E UM DOS MEIAS SE TORNA MAIS UM VOLANTE

Quando as equipes passaram a adotar um esquema com três (e não mais apenas dois) jogadores no meio-campo, muitos pensaram que o futebol se tornaria imensamente mais defensivo, pois era uma questão matemática: o número de jogadores no ataque cairia de quatro para três.

De fato, inicialmente foi isso o que aconteceu, mas, em compensação, e com relativa rapidez, viu-se que a plástica do futebol fora valorizada: afinal, com a transformação de um dos meias no que se chama, hoje, de "segundo volante", o setor de marcação ganhou mais qualidade, já que um dos seus componentes também podia, assim como o meia, iniciar as jogadas de armação. Foi nessa época que se usou chamar o primeiro homem de marcação à frente da zaga de "cabeça de área". Outro ponto importante foi que os pontas continuaram a jogar abertos, pela direita e pela esquerda, fato que aumentou muito o número de gols marcados por jogadores vindos de trás.

O futebol brasileiro adotou o 4-3-3 entre 1979 e 1991, aproximadamente.

4-4-2: O INÍCIO DO RETROCESSO

Bem no começo dos anos 90 já era evidente a pressão que treinadores sofriam para que os resultados esperados por diretorias e torcedores fossem obtidos a qualquer custo, mesmo que, para tanto, a essência do futebol, ou seja, os gols, fosse relegada a segundo plano. Daí surgiu o esquema 4-4-2, que mantinha a linha defensiva do 4-3-3 (com quatro defensores), mas que povoava o meio--campo com um jogador a mais — e com isso, claro, despovoava o ataque, deixando-o com um atleta a menos.

Isso fez com que as equipes passassem a ter apenas um ponta, que jogava pela direita ou pela esquerda, pois um deles foi transformado no que passou a ser conhecido como "terceiro homem de meio-campo". Assim, os times acabaram ficando com dois meio-campistas exclusivamente de marcação, outro que ora defendia e ora armava, e apenas um armador de fato.

O futebol brasileiro adotou amplamente tal esquematização tática até o fim de 2014.

3-5-2: A Distorção do Líbero

A primeira vez que o futebol viu um jogador sem uma posição definida foi na Copa do Mundo de 1938, quando o técnico austríaco Karl Rappan montou sua seleção desta forma. Mas o termo *líbero*, que significa "livre" em italiano, só ganhou força mesmo no fim dos anos 60 e começo dos 70, sobretudo na Europa. A Alemanha, que faturou o Mundial que realizou em 1974, por exemplo, tinha no gênio Franz Beckenbauer um dos melhores jogadores de todos os tempos, um perfeito exemplo de líbero.

Na prática, tal atleta se posicionava atrás dos dois defensores centrais quando sua equipe era atacada, tornando-se desta forma efetivamente um terceiro zagueiro. Mas, assim que recuperava a bola, ele se via livre (daí o termo) de responsabilidades defensivas para iniciar as jogadas ofensivas e, não raro, até mesmo concluí-las. O italiano Franco Baresi é, até hoje, apontado como o jogador que com mais perfeição desempenhou a função. Notaram? Para ser líbero o cara tinha que jogar muita, mas muita bola.

O problema é que, aos poucos, começou-se a distorcer a função, e desta forma chamar todo e qualquer terceiro zagueiro de líbero. Ou seja: a fim de mascarar a retranca, alguns treinadores chamavam um de seus marcadores de líbero, só que, quase nunca, o escolhido saía para o ataque quando sua equipe tinha a bola.

A Seleção Brasileira que fracassou na Copa de 1990 jogou, após decisão do técnico Sebastião Lazaroni, neste esquema, mas nenhum dos três zagueiros que escolheu — Ricardo Rocha, Ricardo Gomes e Mauro Galvão — de fato desempenhava tal função. Ou seja: o 3-5-2 até poderia funcionar, mas desde que tivesse um zagueiro e dois laterais muito habilidosos. E deu no que deu. Já em 2002, quando de novo o 3-5-2 foi adotado, o Brasil de Felipão (e dos zagueiros Lúcio, Edmílson — este atuando como líbero — e Roque Júnior) levou a taça com uma brilhante campanha. Outro detalhe importante desta forma de jogar é que, com três homens fixos na marcação, os laterais tinham mais liberdade para apoiar o ataque e, assim, foram chamados de "alas".

No futebol brasileiro, tal esquema tático foi utilizado por algumas grandes equipes nos anos 90 e 2000, mas hoje praticamente não é mais adotado.

4-5-1 e 3-6-1: A Ordem É se Defender

Quando falamos destes dois esquemas táticos, se faz necessário informar que eles foram, e ainda são, adotados apenas por equipes pequenas quando enfrentam adversários de altíssima qualidade técnica e ofensiva, ou, então, em apenas um ou outro jogo por grandes times, e ainda assim em condições extremas. Tanto o 4-5-1, que exclui jogadas pelos lados do campo e isola o centroavante, quanto o ainda mais defensivo 3-6-1, que praticamente forma uma muralha humana à frente dos três zagueiros e impede a aproximação adversária, são considerados vexatórios para times de primeira linha.

O Novo 4-3-3: Disfarce Mal Feito

De repente, mais especificamente a partir de 2015, as escalações de várias equipes do planeta, e em especial do Brasil começaram a ter, de novo, três nomes no ataque. Seria a volta do 4-3-3 dos anos 70, 80 e 90? Voltariam nossos times a jogar ofensivamente, com apenas três homens no meio-campo e outros três no ataque? Veríamos novamente pontas rápidos e habilidosos indo à linha de fundo e cruzando para a entrada ou para o meio da área?

Muito se esperou, mas pouco ou quase nada aconteceu nesse sentido. A disposição dos atletas passou, sim, muitas vezes a ser feita de tal forma, mas nem de longe os atacantes de beira de campo atuais lembram os pontas de outrora. Atacam, sim, mas também são obrigados a voltar para ajudarem os laterais de seus times a marcarem quem da equipe adversária resolver dar as caras por aquele setor. E ai daqueles que, por se definirem atacantes, não atenderem a esta recomendação do treinador — neste caso, o destino será o banco de reservas ou, então, um local ainda mais longe dos estádios.

No futebol de hoje em dia, vencer é bom. Mas não perder é melhor ainda.

(Ultimamente surgiram esquemas como o 4-3-2-1, 4-2-3-1 e o 4-1-4-1, mas, na prática, raramente são vistos ou de fato aplicados.)

CAPÍTULO OITO

O CLUBE DOS 13

A Confederação Brasileira de Futebol encerrou o ano de 2022 com uma receita bem próxima da casa do R$ 1,1 bilhão e um lucro de R$ 887 milhões. Ou seja: se existe uma entidade esportiva que se possa considerar bilionária, esta entidade é a que comanda a bola nacional.

Mas nem sempre foi assim: em 1987, por exemplo, com a inflação ultrapassando os 70% ao ano, a CBF não tinha dinheiro sequer para organizar o Campeonato Brasileiro. Nossas equipes, mesmo as maiores, estavam cada vez mais descontentes. Participando de campeonatos que a cada ano tinham um regulamento e contavam com mais associações de menor expressão, afirmavam que pagavam para jogar e, pior ainda, acabavam por financiar também a participação dos times pequenos, já que as arrecadações dos jogos eram total ou, pelo menos, parcialmente divididas. Para piorar, torneios com partidas entediantes despertavam pouco interesse nos torcedores, e o que se via na grande parte dos jogos eram arquibancadas às moscas.

Tal situação foi o estopim para que surgisse o Clube dos 13. Ideia que brotou das mentes dos presidentes Márcio Braga (Flamengo) e Carlos Miguel Aydar (São Paulo), e que teve no mandatário gremista Paulo Odone seu maior incentivador. Tinha como objetivo promover a união dos grandes clubes brasileiros e, dessa forma, tomar para si não apenas a organização do Campeonato Brasileiro, mas também as rédeas das negociações de patrocínio com as emissoras de TV. Para tanto, foram convidadas as 13 equipes de maior torcida: Flamengo, Corinthians, São Paulo, Palmeiras, Vasco da Gama, Grêmio, Cruzeiro, Santos, Internacional, Atlético Mineiro, Botafogo, Fluminense e Bahia.

Com mais rapidez do que se poderia imaginar, o Clube dos 13 conseguiu vender seus jogos para a Rede Globo, obter patrocínio da Coca-Cola para seu torneio e ganhar passagens e hospedagens da Varig. Tudo parecia fadado ao enorme sucesso, apesar do aumento de clubes participantes para 16 (foram também convidados o Coritiba, o Goiás e o Santa Cruz), a fim de facilitar uma definição de regulamento e confecção de tabela. Estava criada, assim, a Copa União. Anos depois, o número de participantes foi aumentando, juntando-se ao grupo Athletico Paranaense, Guarani, Portuguesa de Desportos e Vitória. E o Clube dos 13, então, passou a ser na prática o Clube dos 20, mesmo sem jamais ter adotado oficialmente tal denominação.

Mas aí a inveja entrou em campo: percebendo-se alijada das decisões esportivas e financeiras do futebol brasileiro, a CBF interveio e criou uma espécie de Série B, a qual chamou de Módulo Amarelo, pois havia, por conta própria, batizado o torneio organizado pelo Clube dos 13 de Módulo Verde. E mais: exigiu que, ao final dos dois módulos, o campeão e o vice de cada um deles disputasse o título em um quadrangular, o que foi rejeitado pelos times que integravam o Clube dos 13. Tal situação gerou um problema que se arrastou por anos entre Flamengo e Sport, já que ambos, por terem vencido seus respectivos módulos, se consideravam campeões brasileiros de 1987. Hoje, por decisão judicial, apenas a equipe pernambucana desfruta de tal condição.

O Clube dos 13 tinha tudo para ser eterno, mas acabou por se tornar efêmero. Já no ano seguinte, com as finanças um pouco mais estabilizadas, a CBF retomou as rédeas do futebol nacional, e o órgão que contava com os maiores clubes do país foi, aos poucos, perdendo força, espaço e relevância. Mas é fato que a rivalidade entre os times jamais deixou de existir e, desta forma, também contribuiu em muito para o ostracismo e o fim, na prática, da entidade. Era muito comum, por exemplo, representantes de uma equipe boicotarem ideias ou ações de outra apenas por esta ser a sua principal rival. A última pá de cal foi dada em 2011, quando um racha na negociação dos direitos de transmissão para a TV dos Brasileirões de 2012 a 2014 provocou uma debandada geral.

Hoje, o Clube dos 13 existe apenas para fins judiciais e pagamento de dívidas a fornecedores.

A Lei Pelé

O dia 16 de abril de 1933 passa totalmente despercebido pelos amantes do futebol brasileiro, mas não deveria ser assim. Afinal, foi naquele domingo que, pela primeira vez, uma equipe — no caso o Fluminense — admitiu, em um amistoso com o Corinthians realizado nas Laranjeiras, que 11 jogadores de futebol profissionais a representavam, algo até então proibido pela legislação brasileira.

Inicialmente comemorado por todos os atletas, o fato acabou por se tornar muito criticado por inúmeros deles. Afinal, a adoção do profissionalismo gerou, simultaneamente, o nascimento do passe. Este nada mais era do que um vínculo do profissional com o clube, que não terminava quando se encerrava o seu contrato. Ou seja: mesmo sem receber salários e, claro, sem ter a obrigação de treinar ou jogar, o trabalhador continuava preso à equipe até quando o cartola bem entendesse. E mais: para liberá-lo, o time cobrava o valor que quisesse, e o atleta tinha direito apenas a 15% do total da negociação. Qualquer analogia com a escravidão não era, como se vê, mera coincidência.

Foi por ter sentido na pele toda a situação acima que Édson Arantes do Nascimento, então Ministro dos Esportes, criou a chamada Lei Pelé. Promulgada pelo presidente Fernando Henrique Cardoso em 24 de março de 1998 (portanto, somente 65 anos depois daquele histórico jogo entre Flu e Timão), a Lei nº 9.615 tinha vários objetivos, como propiciar maior transparência ao futebol, reconhecer que o torcedor é um consumidor e, portanto, merece ser tratado como tal, exigir a prestação de contas por parte de dirigentes, permitir a criação de ligas independentes etc. Mas nada foi mais importante que seu foco principal: acabar com a Lei do Passe no Brasil.

A partir de então, todos os jogadores de futebol passaram a pertencer aos clubes apenas durante o tempo que durassem seus contratos. Aliás, seis meses antes do encerramento já é possível assinar um pré-contrato com uma outra equipe sem que a atual receba um único centavo. Ou seja: o futebolista passou a ter os mesmos direitos que qualquer outro trabalhador.

Só que no futebol — assim como na vida — não existe só ganhar. Daí o outro lado da moeda: com o fim do passe, as agremiações passaram a investir menos nas categorias de base (e, portanto, a revelar menos atletas), pois o custo investido na formação de um jogador muitas vezes não compensava, quando este, anos mais tarde, era negociado. Além disso, a Lei Pelé transformou pessoas, que até então auxiliavam profissionais da bola, em megaempresários, em milionários que passaram a agenciar a carreira destes futebolistas e, desta forma, a ter o poder de decisão de onde os atletas deveriam ou não jogar. Com isso, jogadores cada vez mais jovens deixam o Brasil, seduzidos por propostas muito mais vantajosas — se não esportivamente, ao menos financeiramente. Para os mais críticos, e também para este autor, a Lei Pelé tirou os jogadores do jugo do senhor de engenho e o colocou nas mãos do capitão do mato.

Ao se virem enfraquecidos, os clubes brasileiros tiveram de criar mecanismos que pudessem lhes garantir alguma forma de restituição do dinheiro investido na formação ou mesmo na contratação do jogador. O mais comum deles é a exigência de longos contratos, de até cinco anos (tempo máximo permitido em lei), e assim ter uma maior garantia de que o profissional o cumpra integralmente. Outra ação prevê a inclusão de uma multa para quebra de vínculo (a famosa multa rescisória): desta forma, se um clube deseja tirar um craque de outra equipe, somente poderá fazê-lo mediante o pagamento de uma indenização previamente definida.

Como se vê, Pelé até tentou, mas não teve como político nem 0,01% do sucesso que obteve como atleta.

CAPÍTULO DEZ

OS PRECURSORES DO BRASILEIRÃO

O TORNEIO RIO-SÃO PAULO

Desde que começaram os Campeonatos Paulista (1902) e Carioca (1906), teve início também a rivalidade entre o Rio de Janeiro e São Paulo. Jogos ou mesmo torneios amistosos que contavam com a participação de clubes dos dois estados sempre chamavam mais a atenção dos torcedores, e foram estas partidas que deram origem ao Campeonato Brasileiro de Seleções Estaduais.

Cientes da importância de tais confrontos e também pensando no fortalecimento do futebol brasileiro a partir da adoção do profissionalismo (1933), os dirigentes resolveram criar, no mesmo ano, o Torneio Rio-São Paulo, na prática a primeira competição interestadual do país. Não deu muito certo: à época, levava-se quase um dia inteiro para se deslocar de uma capital a outra, e por isso os clubes não se interessaram em continuar as disputas nos anos seguintes.

Foi somente em 1950 que o campeonato passou a ser realizado anualmente e se manteve vivo até 1966. Depois, hibernou por 27 anos e renasceu em 1993. Em seguida, parou novamente, retornou em 1997 e viveu sua última edição em 2002.

TODOS OS CAMPEÕES E VICES DO TORNEIO RIO-SÃO PAULO

ANO	CAMPEÃO	VICE
1933	Palestra Itália*	São Paulo da Floresta**
1950	Corinthians	Vasco da Gama

ANO	CAMPEÃO	VICE
1951	Palmeiras	Corinthians
1952	Portuguesa	Vasco da Gama
1953	Corinthians	Vasco da Gama
1954	Corinthians	Fluminense
1955	Portuguesa	Palmeiras
1956	Não disputado	Não disputado
1957	Fluminense	Flamengo e Vasco da Gama
1958	Vasco da Gama	Flamengo
1959	Santos	Vasco da Gama
1960	Fluminense	Botafogo
1961	Flamengo	Botafogo
1962	Botafogo	São Paulo
1963	Santos	Corinthians
1964	Botafogo e Santos***	Palmeiras e Flamengo
1965	Palmeiras	Vasco da Gama, Botafogo, Flamengo e Portuguesa
1966	Corinthians, Botafogo, Santos e Vasco da Gama****	São Paulo
1993	Palmeiras	Corinthians
1997	Santos	Flamengo
1998	Botafogo	São Paulo
1999	Vasco da Gama	Santos
2000	Palmeiras	Vasco da Gama
2001	São Paulo	Botafogo
2002	Corinthians	São Paulo

* Palestra Itália foi o primeiro nome da S. E. Palmeiras.
** O São Paulo da Floresta nada tem a ver com o atual São Paulo.
*** Por falta de datas disponíveis para os jogos finais, ambas as equipes foram declaradas campeãs pela CBD.
**** Por falta de datas disponíveis para os jogos finais, as quatro equipes foram declaradas campeãs pela CBD.

A Taça Brasil

Desde que o futebol começou a se tornar conhecido no Brasil, começaram a ser disputados jogos pelos quatro cantos do país. O surgimento de clubes, o aumento no número de torcedores, o espaço cada vez maior que partidas e campeonatos passaram a ter na mídia, tudo isso fazia com que se sonhasse com uma competição em nível nacional.

Mas foi somente em 1959 (portanto, um ano depois de a Seleção Brasileira se tornar campeã do mundo pela primeira vez) que surgiu a Taça Brasil, o primeiro torneio envolvendo equipes de quase todas as unidades da federação. Disputada inicialmente apenas pelo campeão estadual do ano anterior, logo a partir de sua terceira edição ela passou a contar, também, com o detentor do título.

O sistema de disputa era bem parecido com o atualmente utilizado na Copa do Brasil, ou seja, o eliminatório (o popular "mata-mata"). Os confrontos eram regionalizados, e os representantes dos estados mais fortes, como Rio de Janeiro e São Paulo, estreavam já nas fases de quartas de final ou mesmo nas semifinais. O campeão de cada edição representava o futebol brasileiro na Copa Libertadores do ano seguinte.

Em 2010, a CBF reconheceu todos os ganhadores da Taça Brasil como campeões brasileiros.

Todos os Campeões e Vices da Taça Brasil

ANO	CAMPEÃO	VICE
1959	Bahia	Santos
1960	Palmeiras	Fortaleza
1961	Santos	Bahia
1962	Santos	Botafogo
1963	Santos	Bahia
1964	Santos	Flamengo
1965	Santos	Vasco da Gama
1966	Cruzeiro	Santos
1967	Palmeiras	Náutico
1968	Botafogo	Fortaleza

O "Robertão"

Carinhosamente apelidado de Robertão, o Torneio Roberto Gomes Pedrosa — que homenageava o ex-goleiro da Seleção Brasileira na Copa de 1934 e também ex-presidente da Federação Paulista de Futebol — não recebeu tal alcunha por acaso. Isso se deu porque foi esta a competição que primeiramente reuniu todos os maiores e mais importantes clubes de vários estados brasileiros em um torneio disputado de forma não eliminatória.

O desejo de se realizar uma competição em nível nacional era antigo. O Bahia, primeiro campeão da Taça Brasil, já mostrara que a primazia do futebol brasileiro não estava restrita somente a clubes do eixo Rio-São Paulo, mas as dificuldades de transporte em um país de dimensões continentais, aliadas à situação econômica então nada favorável, adiavam o sonho de ver em campo, em um mesmo torneio, nossos maiores e mais importantes times.

Foi somente após o início do período chamado de "Milagre Econômico" que a ideia foi se tornando mais concreta e, graças ao Cruzeiro, se tornou real. Explicando: em 1966, a inesquecível equipe que contava com Piazza, Tostão, Dirceu Lopes, entre tantos outros craques, venceu o quase invencível Santos de Pelé e cia. — em BH, no Mineirão, goleada de 6 x 2. No jogo de volta, no Pacaembu, nova vitória, e de virada, 3 x 2. Isto provou que o futebol de excelência de fato já não era mais exclusivo de cariocas e paulistas, e que um campeonato nacional se fazia mais do que necessário.

Assim, a partir do ano seguinte, além da Taça Brasil (uma espécie de Copa do Brasil daquela época), passamos a ter também o Robertão. Logo em sua primeira edição, organizado pelas federações do Rio de Janeiro e de São Paulo, o torneio contou com 15 clubes de cinco estados. Em 1968, então já organizada pela CBD, precursora da atual CBF, e rebatizada de Taça de Prata, a competição passou a ter 17 participantes de sete estados, números que se mantiveram até sua última edição, dois anos mais tarde.

Em 2010, a CBF reconheceu todos os vencedores do Torneio Roberto Gomes Pedrosa como campeões brasileiros.

Todos os Campeões e Vices do Torneio Roberto Gomes Pedrosa

ANO	CAMPEÃO	VICE
1967	Palmeiras	Internacional
1968	Santos	Internacional
1969	Palmeiras	Cruzeiro
1970	Fluminense	Palmeiras

O BRASILEIRÃO

1971 A 1981: ONDE A ARENA VAI MAL, MAIS UM TIME NO NACIONAL

Segundo o site do TSE (Tribunal Superior Eleitoral), eram 31 os partidos políticos no Brasil à época das eleições de outubro de 2022. Um número infinitamente superior ao que por anos existiu no país: apenas e tão somente dois. Entre 1966 e 1979, havia somente o MDB (Movimento Democrático Brasileiro) e a ARENA (Aliança Renovadora Nacional), criada para dar sustentação política aos governos militares que se instalaram após o golpe de 1964. Ou seja: quem era da oposição votava e se filiava ao primeiro; quem era da situação...

O futebol, claro, não ficaria imune a tal situação. Sempre usado pelos poderosos de plantão, o esporte acabou sendo uma ótima ferramenta de manipulação. Afinal, enquanto os clubes e, sobretudo, a Seleção Brasileira venciam seus campeonatos e suas Copas do Mundo, grande parte da população ficava meio que anestesiada e nem se dava conta de todos os absurdos que por aqui aconteciam.

Ocorre, porém, que, embora lento e gradativo, crescia no coração das pessoas o desejo da volta à democracia. Consequentemente, também diminuía a ascensão que os militares tinham sobre o povo de modo geral. Então, chegaram os generais à conclusão de que quanto mais futebol tivesse o povo, menos importância o mesmo daria à política. E a fórmula encontrada para que isso acontecesse foi o aumento no número de clubes participantes do Campeonato Nacional em sua principal — e muitas vezes única — divisão.

Assim, o primeiro "Brasileirão", disputado em 1971, contou com 20 times; em 1972 já foram 26; nos dois anos seguintes, 40; em 1977, as equipes que lutaram pelo título foram incríveis 62. Mas nada superaria a edição de 1979, quando a Ditadura Militar já começava a agonizar: inacreditáveis 94 associações iniciaram o torneio. Ou seja: em apenas oito anos, o número de clubes subiu exatos 370%! Daí o slogan que militantes do MDB (ou seja, da oposição) utilizavam à época: "Onde a ARENA vai mal, mais um time no Nacional".

O nascimento da CBF, em 1979, diminuiu os participantes para 44, mas foi somente com a volta da democracia, em 1990, que o número de times chegou a um patamar aceitável: 20.

1979: Nasce a CBF. Mas Não a Organização

"No dia em que o Brasil tiver fora de campo o talento que tem dentro, todas as demais seleções do mundo lutarão apenas pelo vice-campeonato."

A frase acima poderia ter sido dita por um torcedor ou mesmo um jornalista esportivo brasileiro, mas não foi. Estas são palavras de Julio Humberto Grondona, presidente da Associación del Fútbol Argentino entre 1978 e 2014, ano em que faleceu.

O ex-líder da AFA tinha mesmo razão. A FBS nasceu em 8 de junho de 1914, quando foi batizada de Federação Brasileira de Sports. Com tal denominação permaneceu até 1924, ano em que passou a se chamar Confederação Brasileira de Desportos (CBD) e a englobar não apenas o futebol, mas todas as demais modalidades esportivas brasileiras que faziam parte do Comitê Olímpico Internacional (COI). Dessa forma, o futebol brasileiro se consolidou como o maior campeão do planeta e faturou três Copas do Mundo sem sequer ter uma entidade que lhe fosse exclusiva.

Unicamente devido a uma exigência da FIFA, tal panorama mudou somente em 24 de setembro de 1979 — ou seja: 55 anos mais tarde! —, quando então surgiu a atual Confederação Brasileira de Futebol (CBF). Era a esperança de que diminuísse o número crescente de clubes participantes do Campeonato Brasileiro, que fossem criadas divisões, que delas fizessem parte acesso e descenso, que os regulamentos fossem simplificados, que os clubes fossem valorizados e que, enfim, a maior paixão nacional pudesse se fortalecer também longe dos gramados.

FBS, CBD, CBF... Mais do que uma confusão de letras, estas siglas apontam o quanto o futebol brasileiro poderá aumentar ainda mais a sua soberania quando, como disse Grondona, tiver fora do campo o talento que tem dentro dele.

2003: Surgem os Pontos Corridos. E, com Eles, a Justiça

Durante muitos anos, as fórmulas de disputa dos campeonatos regionais e mesmo do Campeonato Brasileiro foram mirabolantes e incompreensíveis até mesmo para jornalistas especializados (infelizmente, em certos estados ainda é bem confusa a fórmula) — imaginem, então, para o simples torcedor. Eram fases, turnos, returnos, octogonais, triangulares, enfim: para se entender o que uma equipe precisava fazer para ser campeã era necessária uma pós-graduação em matemática e lógica (e, às vezes, nem assim).

Daí que a imprensa esportiva, quase que em sua totalidade, sempre pediu para que, pelo menos, o Brasileirão fosse disputado seguindo a mesma fórmula dos mais importantes campeonatos do mundo: pontos corridos em turno e returno. Quem era contra tal ideia — sobretudo a CBF — alegava que uma equipe poderia disparar na disputa e, assim, o campeonato perderia a graça para os torcedores dos demais clubes. Tal tese não só não se justificava, e, na verdade, nunca se justificou, pois, como é sabido em todo o planeta, não existe torneio mais equilibrado do que o Campeonato Brasileiro.

Se assim não fosse, não seriam, hoje (2022), nesses 20 anos de pontos corridos, oito os clubes que já o venceram.

Depois de muita discussão e também de muita pressão, a CBF resolveu dar uma chance ao sistema de pontos corridos. Na edição de 2003, pela primeira vez o campeão seria conhecido após a disputa de 46 rodadas, honra que coube ao Cruzeiro, com pra lá de elogiáveis 100 pontos em 138 disputados (ou 72,5% de aproveitamento). Detalhe: a taça só foi matematicamente garantida pela equipe mineira na 44ª partida.

Ainda há os saudosistas defensores de que haja, pelo menos, uma final, mas parece que são minoria. Contudo, essa é uma discussão que jamais terá fim.

Todos os Campeões e Vices do Campeonato Brasileiro

ANO	CAMPEÃO	VICE
1971	Atlético Mineiro	São Paulo
1972	Palmeiras	Botafogo
1973	Palmeiras	São Paulo
1974	Vasco da Gama	Cruzeiro
1975	Internacional	Cruzeiro
1976	Internacional	Corinthians
1977	São Paulo	Atlético Mineiro
1978	Guarani	Palmeiras
1979	Internacional	Vasco da Gama
1980	Flamengo	Atlético Mineiro
1981	Grêmio	São Paulo
1982	Flamengo	Grêmio
1983	Flamengo	Santos
1984	Fluminense	Vasco da Gama
1985	Coritiba	Bangu
1986	São Paulo	Guarani
1987	Sport*	Guarani
1988	Bahia	Internacional
1989	Vasco da Gama	São Paulo
1990	Corinthians	São Paulo
1991	São Paulo	Bragantino
1992	Flamengo	Botafogo
1993	Palmeiras	Vitória
1994	Palmeiras	Corinthians
1995	Botafogo	Santos
1996	Grêmio	Portuguesa
1997	Vasco da Gama	Palmeiras
1998	Corinthians	Cruzeiro
1999	Corinthians	Atlético Mineiro
2000	Vasco da Gama	São Caetano
2001	Athletico Paranaense	São Caetano

ANO	CAMPEÃO	VICE
2002	Santos	Corinthians
2003	Cruzeiro	Santos
2004	Santos	Athletico Paranaense
2005	Corinthians	Internacional
2006	São Paulo	Internacional
2007	São Paulo	Santos
2008	São Paulo	Grêmio
2009	Flamengo	Internacional
2010	Fluminense	Cruzeiro
2011	Corinthians	Vasco da Gama
2012	Fluminense	Atlético Mineiro
2013	Cruzeiro	Grêmio
2014	Cruzeiro	São Paulo
2015	Corinthians	Atlético Mineiro
2016	Palmeiras	Santos
2017	Corinthians	Palmeiras
2018	Palmeiras	Flamengo
2019	Flamengo	Santos
2020	Flamengo	Internacional
2021	Atlético Mineiro	Flamengo
2022	Palmeiras	Internacional

*Flamengo e Internacional fizeram a decisão do Módulo Verde (Copa União), vencida pelos cariocas, mas se recusaram a entrar em campo para a disputa de um quadrangular final com os finalistas do Módulo Amarelo (Sport e Guarani), conforme previa o regulamento. Tal decisão fez com que a CBF definisse os clubes pernambucano e paulista, respectivamente, como campeão e vice brasileiros daquele ano, inclusive determinando que ambos representassem o país na edição de 1988 da Copa Libertadores da América. O Rubro-Negro Carioca lutou durante anos nas esferas esportiva e jurídica para ser reconhecido oficialmente como o campeão brasileiro de 1987, mas perdeu em todas as instâncias.

A Unificação dos Títulos Nacionais

Odir Cunha é um jornalista esportivo, escritor e historiador que assumidamente torce pelo Santos, mas não são apenas os santistas que devem lhe agradecer imensamente. Torcedores de Bahia, Cruzeiro, Botafogo, Fluminense e Palmeiras também podem lhe render homenagens eternas, pois foi sobretudo devido ao seu trabalho que estes seis clubes aumentaram a quantidade de títulos brasileiros em seus currículos.

Explicando: graças ao dossiê que ele preparou e a seus esforços pessoais, a CBF, após muita relutância, decidiu unificar os títulos da Taça Brasil, do Torneio Roberto Gomes Pedrosa e do Campeonato Brasileiro. Assim, os ganhadores destas duas competições que antecederam o Brasileirão passaram a ser considerados, a partir de 2010, também campeões brasileiros, status de que até então não disfrutavam. Embora polêmica, a decisão da entidade foi justíssima, já que dentre todos os vários argumentos apresentados pelo jornalista o principal foi o fato de que os vencedores daqueles campeonatos representavam o Brasil na Copa Libertadores da América do ano seguinte.

Vale lembrar, no entanto, que, ainda em 1974, a antiga CBD já anunciara que passara a considerar campeões brasileiros todos os vencedores da Taça Brasil a partir de 1959 e do Torneio Roberto Gomes Pedrosa desde 1967. Mas como tal anúncio não se deu de forma oficial, caiu no esquecimento.

Com a unificação destas conquistas, ficou assim o ranking dos campeões brasileiros até o final de 2022:

POSIÇÃO	CLUBE	TÍTULOS
1º	Palmeiras	11
2º	Santos	8
3º	Corinthians	7
	Flamengo	7*
4º	São Paulo	6
5º	Vasco da Gama	4
	Fluminense	4
	Cruzeiro	4
6º	Internacional	3
7º	Grêmio	2
	Bahia	2
	Botafogo	2
	Atlético Mineiro	2
8º	Guarani	1

POSIÇÃO	CLUBE	TÍTULOS
	Coritiba	1
	Sport	1
	Athletico Paranaense	1

* Embora derrotado na Justiça, o Flamengo, assim como todos os times que disputaram a Copa União (considerado o melhor Brasileirão da história pela maioria absoluta da imprensa esportiva), entendem que o Rubro-Negro Carioca é o legítimo campeão de 1987. Afinal, estavam os 16 maiores clubes do país na disputa, e isso é o bastante para que a razão prevaleça. Há um consenso de que, o mais justo, seria Flamengo e Sport dividirem o título.

A Copa do Brasil

Integração e Dinheiro São os Pais da Competição

Tido e havido, e não sem razão, como o *País do Futebol*, o Brasil também tem lá suas particularidades que em muito causam estranheza ao resto do mundo, e uma delas foi o fato de ter sido a última dentre todas as grandes nações futebolísticas a criar a sua Copa, o que fez apenas em 1989.

Claro que, como já sabemos, houve anos antes a Taça Brasil, que era disputada em um sistema semelhante, mas dizer que os dois torneios são idênticos é um erro grosseiro, e por duas razões muito simples: a Copa do Brasil é sempre disputada no sistema de eliminatórias simples e não separa seus participantes em divisões, ao contrário: a graça está justamente no fato de, em suas primeiras fases, termos a visita de grandes clubes a pequenos lugarejos dos mais longínquos rincões para enfrentar times que disputam as séries nacionais menores ou, até mesmo, que não disputam série alguma.

A principal razão do surgimento deste campeonato foi exatamente propiciar a equipes humildes de todas as regiões do país a chance de enfrentarem os mais ricos e famosos esquadrões. Ou seja: a integração foi, digamos, o mote romântico que propiciou o nascimento da Copa do Brasil. Além disso, como nas fases iniciais os pequenos sempre atuam na condição de mandantes, é claro que o fator financeiro também teve um peso gigantesco, já que a arrecadação líquida é toda do clube que atua em casa.

Vale lembrar que o campeão da Copa do Brasil ganha vaga direta na fase de grupos da Copa Libertadores da América do ano seguinte.

As Grandes "Zebras"*

Justamente por se tratar de um torneio eliminatório desde a primeira fase, a Copa do Brasil é a competição em que mais surpresas aconteceram na história do nosso futebol. As chamadas "zebras", vez ou outra, costumam aprontar em campo e apontar um campeão no qual absolutamente ninguém apostava.

Nas duas primeiras edições, Sport e Goiás chegaram à final, mas ficaram apenas com o vice. Mas em 1991... Naquele ano, o humilde Criciúma, dirigido por Luiz Felipe Scolari, se sobrepôs ao Grêmio e faturou a taça. Três anos depois, a surpresa ficou com o Ceará, que chegou à decisão diante do mesmo Grêmio após eliminar clubes como Internacional e Palmeiras. Ainda nos anos 90 o destaque fica para o Juventude, campeão sobre o Botafogo.

Na década seguinte, e por dois anos seguidos, a Copa do Brasil teve como campeãs equipes pequenas. Em 2004, o Santo André superou o Flamengo e, na edição seguinte, foi a vez do Paulista, de Jundiaí, faturar o título diante do Fluminense. Antes, em 2002, o Brasiliense só perdeu o título para o Corinthians após uma arbitragem que lhe foi bastante prejudicial. Outra surpresa ocorreu em 2007, quando o Figueirense foi um duro adversário para o campeão Fluminense. O Vitória, em 2010, e o Coritiba, em 2011 e 2012, foram as mais recentes surpresas no torneio ao decidirem — e perderem — o título para Santos, Vasco da Gama e Palmeiras, respectivamente.

Desde então, é bem verdade que nenhuma grande surpresa aconteceu. Talvez porque os maiores clubes brasileiros tenham entendido que, na Copa do Brasil, dar zebra não é tão zebra assim.

---

* A expressão foi criada pelo então técnico da Portuguesa (pequeno time da Ilha do Governador), Gentil Cardoso, antes do jogo válido pelo Campeonato Carioca de 1964 contra o Vasco da Gama. Cardoso, em entrevista a um repórter de campo, disse que o resultado do jogo seria "zebra". A origem do nome vem do Jogo do Bicho, que não tinha a zebra entre os 25 animais a serem sorteados. Ou seja, era impossível sorteá-la. No fim, a Portuguesa venceu o Vasco por 2 x 1.

Todos os Campeões e Vices da Copa do Brasil

ANO	CAMPEÃO	VICE
1989	Grêmio	Sport
1990	Flamengo	Goiás
1991	Criciúma	Grêmio
1992	Internacional	Fluminense
1993	Cruzeiro	Grêmio
1994	Grêmio	Ceará
1995	Corinthians	Grêmio
1996	Cruzeiro	Palmeiras
1997	Grêmio	Flamengo
1998	Palmeiras	Cruzeiro
1999	Juventude	Botafogo
2000	Cruzeiro	São Paulo
2001	Grêmio	Corinthians
2002	Corinthians	Brasiliense
2003	Cruzeiro	Flamengo
2004	Santo André	Flamengo
2005	Paulista	Fluminense
2006	Flamengo	Vasco da Gama
2007	Fluminense	Figueirense
2008	Sport	Corinthians
2009	Corinthians	Internacional
2010	Santos	Vitória
2011	Vasco da Gama	Coritiba
2012	Palmeiras	Coritiba
2013	Flamengo	Athletico Paranaense
2014	Atlético Mineiro	Cruzeiro
2015	Palmeiras	Santos
2016	Grêmio	Atlético Mineiro
2017	Cruzeiro	Flamengo
2018	Cruzeiro	Corinthians
2019	Athletico Paranaense	Internacional
2020	Palmeiras	Grêmio
2021	Atlético Mineiro	Athletico Paranaense
2022	Flamengo	Corinthians

O Brasil na
Copa Libertadores da América

No Começo... "Tô Nem Aí"

A garantia de uma das vagas para a disputa da Libertadores é um feito comemorado por todas as torcidas. E não é para menos: além do prestígio de representar o Brasil numa competição internacional, do dinheiro que o clube recebe advindo de direitos de transmissão de seus jogos, da bilheteria das partidas em que é mandante e dos prêmios distribuídos pela CONMEBOL (Confederación Sudamericana de Fútbol), ainda há a honra de o clube, caso seja campeão, representar o continente na Copa do Mundo de Clubes da FIFA (denominação atual do torneio) no fim do ano.

Mas nem sempre foi assim. Tanto em suas primeiras edições, quando o Brasil chegou até mesmo a sequer indicar representantes em três anos (1966, 1969 e 1970), quanto em edições posteriores, na década de 70, ninguém no país dava a menor bola para a competição. Eram comuns reclamações públicas de jogadores e treinadores sobre o cansaço e o excesso de partidas, pois tinham que se deslocar para outros países da América do Sul. Não raro, times brasileiros optavam por escalar equipes mistas ou mesmo só com reservas em partidas válidas pela Libertadores, para preservar seus melhores talentos para jogos dos campeonatos estaduais. Hoje, como veremos a seguir, acontece exatamente o contrário.

AGORA, O PRINCIPAL OBJETIVO

Tal panorama começou a mudar no início dos anos 80, e o grande responsável foi o Flamengo. Primeira equipe nacional a deixar clara a sua preferência pelo torneio sul-americano, o Rubro-Negro Carioca montou um verdadeiro esquadrão e, com méritos, faturou o título de 1981 sobre o Cobreloa, do Chile.

Pronto: a rivalidade entrou em campo e, a partir de então, todos os grandes clubes do Brasil passaram a querer o mesmo que o Mengão conseguira. E como o time carioca, no final daquele mesmo ano, faturou também a decisão intercontinental contra o Liverpool (3 x 0), em Tóquio, e passou a ser reconhecido como campeão mundial, a inveja — no bom sentido, claro — tornou-se o combustível para que a Copa Libertadores passasse a ser, como cantam todos os torcedores espalhados pelas arquibancadas do Brasil, uma "obsessão".

NOSSOS REPRESENTANTES E SEUS RESULTADOS MAIS EXPRESSIVOS

Nada menos do que 31 equipes já representaram o país na Copa Libertadores da América. Tudo começou com o Bahia que, por ter sido o campeão da Taça Brasil de 1959 (hoje promovida a Campeonato Brasileiro), classificou-se à primeira edição, no ano seguinte. Desde então, clubes de nove estados já tiveram o privilégio de disputar a "Liberta", como é atualmente apelidada pelas torcidas e pelos boleiros.

Em termos de resultados, vale destacar os tricampeões Grêmio, Santos, São Paulo, Palmeiras e Flamengo, os bicampeões Internacional e Cruzeiro e, também, os times que faturaram a taça uma única vez até hoje: Atlético Mineiro, Corinthians e Vasco da Gama.

TODOS OS REPRESENTANTES DO BRASIL NA COPA LIBERTADORES DA AMÉRICA

ANO	CLUBES
1960	Bahia
1961	Palmeiras

ANO	CLUBES
1962	Santos
1963	Santos e Botafogo
1964	Santos e Bahia
1965	Santos
1966	Não houve representantes
1967	Cruzeiro
1968	Palmeiras e Náutico
1969	Não houve representantes
1970	Não houve representantes
1971	Palmeiras e Fluminense
1972	São Paulo e Atlético Mineiro
1973	Palmeiras e Botafogo
1974	São Paulo e Palmeiras
1975	Cruzeiro e Vasco da Gama
1976	Cruzeiro e Internacional
1977	Cruzeiro, Corinthians e Internacional
1978	São Paulo e Atlético Mineiro
1979	Palmeiras e Guarani
1980	Internacional e Vasco da Gama
1981	Flamengo e Atlético Mineiro
1982	Grêmio, São Paulo e Flamengo
1983	Grêmio e Flamengo
1984	Grêmio, Santos e Flamengo
1985	Vasco da Gama e Fluminense
1986	Coritiba e Bangu
1987	São Paulo e Guarani
1988	Guarani e Sport
1989	Internacional e Bahia
1990	Grêmio e Vasco da Gama
1991	Corinthians e Flamengo
1992	São Paulo e Criciúma
1993	São Paulo, Flamengo e Internacional
1994	São Paulo, Palmeiras e Cruzeiro

ANO	CLUBES
1995	Grêmio e Palmeiras
1996	Grêmio, Corinthians e Botafogo
1997	Grêmio e Cruzeiro
1998	Cruzeiro, Vasco da Gama e Grêmio
1999	Palmeiras, Corinthians e Vasco da Gama
2000	Palmeiras, Corinthians, Atlético Mineiro, Athletico Paranaense e Juventude
2001	Palmeiras, Cruzeiro, Vasco da Gama e São Caetano
2002	Grêmio, Flamengo, Athletico Paranaense e São Caetano
2003	Grêmio, Santos, Corinthians e Paysandu
2004	São Paulo, Cruzeiro, Santos, São Caetano e Coritiba
2005	São Paulo, Palmeiras, Santos, Athletico Paranaense e Santo André
2006	São Paulo, Palmeiras, Corinthians, Internacional, Paulista e Goiás
2007	Grêmio, São Paulo, Santos, Flamengo, Internacional e Paraná
2008	São Paulo, Cruzeiro, Santos, Flamengo e Fluminense
2009	Grêmio, São Paulo, Palmeiras, Cruzeiro e Sport
2010	São Paulo, Cruzeiro, Corinthians, Flamengo e Internacional
2011	Grêmio, Cruzeiro, Santos, Corinthians, Internacional e Fluminense
2012	Santos, Corinthians, Flamengo, Internacional, Vasco da Gama e Fluminense
2013	Grêmio, São Paulo, Palmeiras, Corinthians, Atlético Mineiro e Fluminense
2014	Grêmio, Cruzeiro, Flamengo, Atlético Mineiro, Athletico Paranaense e Botafogo
2015	São Paulo, Cruzeiro, Corinthians, Internacional e Atlético Mineiro
2016	Grêmio, São Paulo, Palmeiras, Corinthians e Atlético Mineiro
2017	Grêmio, Palmeiras, Santos, Flamengo, Atlético Mineiro, Athletico Paranaense, Botafogo e Chapecoense
2018	Grêmio, Palmeiras, Cruzeiro, Santos, Corinthians, Flamengo, Vasco da Gama e Chapecoense
2019	Palmeiras, Flamengo, Internacional, Grêmio, São Paulo, Cruzeiro, Atlético Mineiro e Athletico Paranaense

ANO	CLUBES
2020	Athletico Paranaense, Flamengo, Santos, Palmeiras, Grêmio, São Paulo, Corinthians e Internacional
2021	Palmeiras, Flamengo, Atlético Mineiro, Athletico Paranaense, Corinthians, Fortaleza, Bragantino e América Mineiro
2022	Palmeiras, Flamengo, Internacional, Fluminense, Corinthians, Athletico Paranaense, Atlético Mineiro e Fortaleza

Todos os Campeões e Vices da Copa Libertadores da América

ANO	CAMPEÃO	VICE
1960	Peñarol/URU	Olimpia/PAR
1961	Peñarol/URU	PALMEIRAS
1962	SANTOS	Peñarol/URU
1963	SANTOS	Boca Juniors/ARG
1964	Independiente/ARG	Nacional/URU
1965	Independiente/ARG	Peñarol/URU
1966	Peñarol/URU	River Plate/ARG
1967	Racing/ARG	Nacional/URU
1968	Estudiantes/ARG	PALMEIRAS
1969	Estudiantes/ARG	Nacional/URU
1970	Estudiantes/ARG	Peñarol/URU
1971	Nacional/URU	Estudiantes/ARG
1972	Independiente/ARG	Universitario/PER
1973	Independiente/ARG	Colo Colo/CHI
1974	Independiente/ARG	SÃO PAULO
1975	Independiente/ARG	Unión Española/CHI
1976	CRUZEIRO	River Plate/ARG
1977	Boca Juniors/ARG	CRUZEIRO
1978	Boca Juniors/ARG	Deportivo Cali/COL
1979	Olimpia/PAR	Boca Juniors/ARG

ANO	CAMPEÃO	VICE
1980	Nacional/URU	INTERNACIONAL
1981	FLAMENGO	Cobreloa/CHI
1982	Peñarol/URU	Cobreloa/CHI
1983	GRÊMIO	Peñarol/URU
1984	Independiente/ARG	GRÊMIO
1985	Argentinos Juniors/ARG	América/COL
1986	River Plate/ARG	América/COL
1987	Peñarol/URU	América/COL
1988	Nacional/URU	Newell's Old Boys/ARG
1989	Nacional/COL	Olimpia/PAR
1990	Olimpia/PAR	Barcelona/EQU
1991	Colo Colo/CHI	Olimpia/PAR
1992	SÃO PAULO	Newell's Old Boys/ARG
1993	SÃO PAULO	Universidad Catolica/CHI
1994	Vélez Sarsfield/ARG	SÃO PAULO
1995	GRÊMIO	Nacional/COL
1996	River Plate/ARG	América/COL
1997	CRUZEIRO	Sporting Cristal/PER
1998	VASCO DA GAMA	Barcelona/EQU
1999	PALMEIRAS	Deportivo Cali/COL
2000	Boca Juniors/ARG	PALMEIRAS
2001	Boca Juniors/ARG	Cruz Azul/MEX
2002	Olimpia/PAR	SÃO CAETANO
2003	Boca Juniors/ARG	SANTOS
2004	Once Caldas/COL	Boca Juniors/ARG
2005	SÃO PAULO	ATHLETICO PARANAENSE
2006	INTERNACIONAL	SÃO PAULO
2007	Boca Juniors/ARG	GRÊMIO
2008	LDU/EQU	FLUMINENSE
2009	Estudiantes/ARG	CRUZEIRO

ANO	CAMPEÃO	VICE
2010	INTERNACIONAL	Chivas/MEX
2011	SANTOS	Peñarol/URU
2012	CORINTHIANS	Boca Juniors/ARG
2013	ATLÉTICO MINEIRO	Olimpia/PAR
2014	San Lorenzo/ARG	Nacional/PAR
2015	River Plate/ARG	Tigres/MEX
2016	Nacional/COL	Independiente del Valle/EQU
2017	GRÊMIO	Lanús/ARG
2018*	River Plate/ARG	Boca Juniors/ARG
2019	FLAMENGO	River Plate/ARG
2020	PALMEIRAS	SANTOS
2021	PALMEIRAS	FLAMENGO
2022	FLAMENGO	ATHLETICO PARANAENSE

* A finalíssima da Copa Libertadores da América de 2018 foi, pela primeira vez em sua história, disputada fora da América do Sul. Devido a incidentes entre torcedores do River Plate e o ônibus da delegação boquista antes da partida final, que aconteceria no estádio Monumental de Núñez, nos quais dois jogadores do clube auriceleste foram atingidos por estilhaços de vidro, a CONMEBOL decidiu punir a equipe mandante com a perda do mando de campo. Assim, o jogo aconteceu no estádio Santiago Bernabéu, em Madri.

O Brasil no Mundial Interclubes

A Copa Rio e a Polêmica Conquista do Palmeiras

22 de julho de 1951. Praticamente um ano após a maior tragédia de toda a história do futebol brasileiro, lá estava ele novamente, no mesmo palco de 371 dias antes, a tentar provar a todos, mas, principalmente, a si mesmo, que era o maior do mundo. Daquela vez, porém, as camisas brancas tornaram-se verdes. Eram as do Palmeiras.

A tragédia de 16 de julho de 1950 não estava — e talvez jamais venha a estar — totalmente digerida pela torcida canarinho. Desta forma, a CBD resolveu, com apoio e aval da FIFA, realizar um torneio que reunisse oito das maiores equipes do mundo. Como não tínhamos então uma competição que definisse os melhores times do país, a entidade escolheu os dois melhores times nacionais da época, ou seja, os campeões dos dois estados mais bem desenvolvidos no que se referia a futebol — São Paulo e Rio de Janeiro. Com isso, foram chamados o Vasco da Gama e o Palmeiras. As outras equipes convidadas vieram de seis países: Juventus, da Itália; Sporting, de Portugal; Nacional, do Uruguai; Estrela Vermelha, da Iugoslávia; Olympique de Nice, da França; e Áustria Viena, evidentemente do país europeu do mesmo nome.

Após uma primeira fase em que venceu dois e perdeu um dos três jogos, o Verdão se classificou às semifinais diante do clube de São Januário, então o melhor time da América do Sul, vencendo-o por 2 x 1 no primeiro jogo e empatando o segundo em 0 x 0, ambos no Maracanã. Já nas finais, diante da Juventus, uma vitória por 1 x 0 e um empate em 2 x 2, também no estádio Mário Filho, lhe garantiram a taça.

O Reconhecimento da FIFA

A luta palmeirense pelo reconhecimento do título da Copa Rio de 1951 começou somente 50 anos depois, quando a diretoria produziu um dossiê e o enviou à FIFA, solicitando que o torneio fosse considerado o primeiro Mundial de Clubes. A entidade máxima do futebol demorou sete anos até responder positivamente, por meio de um fax enviado em 2008 pelo seu então secretário-geral, Urs Linsi, ao presidente da CBF, Ricardo Teixeira, mas protelou o anúncio oficial devido a pressões internas e, principalmente, à vaidade do então presidente da entidade, Joseph Blatter, que se sentiu desprestigiado por não ter sido ele a assinar o documento.

Por isso, apenas em 2014 a conquista foi, de fato, admitida pela FIFA, com Blatter chancelando a Copa Rio. No site da Federação Internacional de Futebol, no entanto, o Verdão aparece como "primeiro campeão global", já que para a entidade apenas os vencedores de 2000 e a partir de 2010 são "campeões mundiais".

Mundial ou Apenas Final Intercontinental?

O Palmeiras não tem Mundial.

O Palmeiras é o primeiro campeão mundial.

As duas frases acima espelham com exatidão a polêmica que envolve o assunto: de um lado, os palmeirenses enchem o peito de orgulho e afirmam que a Copa Rio foi, sim, a primeira competição interclubes; do outro, os torcedores de todas as demais equipes garantem que isso nem de longe pode ser verdade.

Justamente por isso, a FIFA arrumou um jeito de acabar — ou pelo menos de tentar acabar — com a polêmica. Desde 2014, dividiu os vencedores destas competições em três blocos. Assim, surgiram o campeão global, os campeões intercontinentais e os campeões mundiais.

Campeão global, como já explicamos, é apenas o Palmeiras, desta forma qualificado pela entidade por ter vencido um torneio — a Copa Rio de 1951 — que contou com representantes de dois continentes: Europa e América do Sul. Campeões intercontinentais são todos os times que ganharam os confrontos entre os vencedores sul-americanos e europeus, tenham eles sido decididos em duas ou em apenas uma partida. Por fim, campeãs mundiais são as equipes que disputaram os torneios organizados pela FIFA e que contaram com representantes de todos os continentes.

Nossos Representantes e seus Resultados Mais Expressivos

Se considerarmos todas as competições em nível mundial, veremos que até hoje foram 63 os torneios em que clubes de todo o planeta disputaram a possibilidade de se tornarem campeões do mundo. E, neles, times brasileiros estiveram presentes em 21 finais, conquistando 11 títulos e 10 vice--campeonatos.

O destaque maior, claro, fica para o São Paulo. O Tricolor Paulista é o único clube do Brasil a faturar três vezes a taça. Logo atrás vêm dois de seus maiores rivais, o Corinthians e o Santos, com duas conquistas. Palmeiras, Flamengo, Grêmio e Internacional somam um título cada um.

Também chegaram à grande decisão, mas não conseguiram levantar o caneco, Cruzeiro, Vasco da Gama, Palmeiras e Grêmio, duas vezes, e Flamengo e Santos, uma vez.

Todos os Campeões e Vices do Mundial Interclubes

ANO	CAMPEÃO	VICE
1951	PALMEIRAS	Juventus/ITA
1960	Real Madrid/ESP	Peñarol/URU
1961	Peñarol/URU	Benfica/POR
1962	SANTOS	Benfica/POR
1963	SANTOS	Milan/ITA
1964	Internazionale/ITA	Independiente/ARG
1965	Internazionale/ITA	Independiente/ARG
1966	Peñarol/URU	Real Madrid/ESP
1967	Racing/ARG	Celtic/ESC
1968	Estudiantes/ARG	Manchester United/ING
1969	Milan/ITA	Estudiantes/ARG
1970	Feyenoord/HOL	Estudiantes/ARG
1971	Nacional/URU	Panathinaikos/GRE
1972	Ajax/HOL	Independiente/ARG

ANO	CAMPEÃO	VICE
1973	Independiente/ARG	Juventus/ITA
1974	Atlético de Madrid/ESP	Independiente/ARG
1975	Não houve disputa	
1976	Bayern/ALE	CRUZEIRO
1977	Boca Juniors/ARG	Borussia Mönchengladbach/ALE
1978	Não houve disputa	
1979	Olimpia/PAR	Malmöe/SUE
1980	Nacional/URU	Nottingham Forest/ING
1981	FLAMENGO	Liverpool/ING
1982	Peñarol/URU	Aston Villa/ING
1983	GRÊMIO	Hamburgo/ALE
1984	Independiente/ARG	Liverpool/ING
1985	Juventus/ITA	Argentinos Juniors/ARG
1986	River Plate/ARG	Steaua Bucareste/ROM
1987	Porto/POR	Peñarol/URU
1988	Nacional/URU	PSV Eindhoven/HOL
1989	Milan/ITA	Nacional/COL
1990	Milan/ITA	Olimpia/PAR
1991	Estrela Vermelha/IUG	Colo Colo/CHI
1992	SÃO PAULO	Barcelona/ESP
1993	SÃO PAULO	Milan/ITA
1994	Vélez Sarsfield/ARG	Milan/ITA
1995	Ajax/HOL	GRÊMIO
1996	Juventus/ITA	River Plate/ARG
1997	Borussia Dortmund/ALE	CRUZEIRO
1998	Real Madrid/ESP	VASCO DA GAMA
1999	Manchester United/ING	PALMEIRAS
2000*	CORINTHIANS	VASCO DA GAMA
2000*	Boca Juniors/ARG	Real Madrid/ESP

ANO	CAMPEÃO	VICE
2001	Bayern/ALE	Boca Juniors/ARG
2002	Real Madrid/ESP	Olimpia/PAR
2003	Boca Juniors/ARG	Milan/ITA
2004	Porto/POR	Once Caldas/COL
2005	SÃO PAULO	Liverpool/ING
2006	INTERNACIONAL	Barcelona/ESP
2007	Milan/ITA	Boca Juniors/ARG
2008	Manchester United/ING	LDU/EQU
2009	Barcelona/ESP	Estudiantes/ARG
2010	Internazionale/ITA	Mazembe/RDC
2011	Barcelona/ESP	SANTOS
2012	CORINTHIANS	Chelsea/ING
2013	Bayern/ALE	Raja Casablanca/MAR
2014	Real Madrid/ESP	San Lorenzo/ARG
2015	Barcelona/ESP	River Plate/ARG
2016	Real Madrid/ESP	Kashima Antlers/JAP
2017	Real Madrid/ESP	GRÊMIO
2018	Real Madrid/ESP	Al Ain/EAU
2019	Liverpool/ING	FLAMENGO
2020	Bayern/ALE	Tigres/MÉX
2021	Chelsea/ING	PALMEIRAS
2022	Real Madrid/ESP	Al-Hilal/SAU

* O quadro acima aponta os finalistas de todas as competições intercontinentais, independentemente de serem reconhecidos como campeões mundiais, intercontinentais ou global pela FIFA. Por isso, no ano 2000, tanto Boca Juniors quanto Corinthians são considerados campeões do mundo.

CAPÍTULO QUINZE

Os Mais Importantes Técnicos Estrangeiros de Todos os Tempos

Aimé Jacquet | *Nome*: Aimé Jacquet
Data e Local de Nascimento: 27.11.1941, em Sail-sous-Couzan/FRA

De um jogador sem muito sucesso a um dos mais importantes técnicos franceses de todos os tempos. Dessa forma pode ser resumida a trajetória deste profissional, cujo trabalho como treinador começa em 1980, quando assume o Bordeaux/FRA e, por lá, permanece até 1989.

No período, sagrou-se tetracampeão francês (1983/84, 1984/85, 1985/86 e 1986/87) e também vice-campeão europeu de 1983, perdendo a decisão para o Stuttgart/ALE.

Em 1990, foi convidado a integrar a comissão técnica permanente da seleção francesa, cujo comando assumiu em 1993. Cinco anos mais tarde, era o grande treinador da França, que, atuando diante de sua torcida, sagrou-se campeã mundial pela primeira vez.

Alberto Suppici | *Nome*: Alberto Horacio Suppici
Data e Local de Nascimento: 20.11.1898, em Colônia do Sacramento/URU
Data e Local de Falecimento: 21.06.1981, em Montevidéu/URU

Técnico que faturou o título da primeira Copa do Mundo, em 1930. Até hoje, detém o recorde de mais jovem treinador a se sagrar campeão mundial por um selecionado nacional — na época, tinha apenas 31 anos.

Após deixar a Celeste Olímpica, dirigiu o Central Español/URU e, em 1937, retornou ao cargo de técnico da seleção uruguaia, mas não conseguiu classificar o país para a Copa do Mundo de 1938.

Alex Ferguson | *Nome*: Alexander Chapman Ferguson
Data e Local de Nascimento: 31.12.1941, em Glasgow/ESC

Não há, na história do futebol do Reino Unido, nenhum outro treinador que mais títulos tenha obtido. Em 39 anos de carreira, ele faturou inacreditáveis 49 taças.

Em seu currículo são inúmeras as vitórias e conquistas pessoais, mas é impossível não destacar os 27 anos ininterruptos em que dirigiu o Manchester United, entre 1986 e 2013, e também o fato de ter sido o primeiro comandante de uma equipe inglesa a ganhar numa mesma temporada — no caso, a de 1999 — a tríplice coroa europeia (Campeonato Nacional [Premier League], Copa da Inglaterra [FA Cup] e a Liga dos Campeões da Europa [Champions League]).

Hoje, o Estádio Old Trafford, dos "Red Devils", exibe uma estátua do seu grande ídolo. Sob seu comando, o clube inglês faturou 13 taças da Premier League, cinco da FA Cup, 10 da Supercopa Inglesa, uma da Supercopa da Europa e duas do Mundial Interclubes.

Alf Ramsey | *Nome*: Alf Ramsey
Data e Local de Nascimento: 22.01.1920, em Dagenham/ING
Data e Local de Falecimento: 28.04.1999, em Ipswich/ING

Foi o treinador que obteve a ascensão mais meteórica na história do futebol inglês, pois se sagrou campeão da Terceira Divisão em 1960/61, da Segunda Divisão em 1961/62, e da Primeira Divisão, hoje conhecida como Premier League, em 1962/63.

Tal desempenho lhe valeu o convite para comandar a seleção inglesa, para a qual tinha a missão de montar uma equipe que fosse capaz de ganhar a Copa do Mundo que seria realizada três anos depois, em seu país.

Não deu outra: sob seu comando, o English Team faturou aquela que, até hoje, é a sua única conquista em nível mundial.

Arrigo Sacchi | *Nome*: Arrigo Sacchi
Data e Local de Nascimento: 01.04.1946, em Fusignano/ITA

Muito embora não tenha conseguido alcançar o lugar mais alto que qualquer treinador de futebol almeja (o de campeão mundial por uma seleção), é considerado o melhor técnico de toda a história do "calcio" italiano. E não sem motivo: afinal, com apenas 40 anos, deixou o pequeno Parma/ITA e, a convite do então todo poderoso Silvio Berlusconi, assumiu o comando daquela que, na época, era uma das mais fortes equipes do planeta: o Milan/ITA.

Seu desempenho no clube "rossonero" foi espantoso: em apenas quatro anos, sagrou-se campeão italiano em 1987/88, da Supercopa da Itália em 1988, da Taça dos Clubes Campeões Europeus em 1988/89 e em 1989/90, e do Mundial Interclubes em 1989 e 1990. Tanto sucesso, claro, lhe valeu a chance de assumir a seleção de seu país, a qual comandou na Copa do Mundo de 1994 e obteve o vice-campeonato.

Béla Gutmann | *Nome*: Bélla Guttmann
Data e Local de Nascimento: 27.01.1899, em Budapeste/HUN
Data e Local de Falecimento: 28.08.1981, em Viena/AUT

Pode parecer estranho que um treinador que sequer chegou a participar de uma Copa do Mundo apareça nesta seção, mas no caso deste técnico isso tem uma simples explicação: até hoje, ele é considerado aquele que mais ofensivamente fez jogar equipes europeias, com destaque para as portuguesas do Porto e do Benfica.

Na "terrinha", ele levou os "Azuis" à conquista do título nacional em 1958/59, e os "Encarnados" a façanha idêntica nas temporadas de 1959/60 e de 1960/61. Além disso, também pelo clube lisboeta faturou dois títulos da Taça dos Clubes Campeões Europeus — em 1961 e 1962. Só não conseguiu se tornar campeão mundial interclubes porque perdeu as finais para Peñarol/URU e Santos, respectivamente. De qualquer forma, o maior legado que deixou ao Benfica foi ter revelado o craque Eusébio, um dos melhores jogadores de futebol que o mundo já viu.

Carlo Ancelotti | *Nome*: Carlo Michelangelo Ancelotti
Data e Local de Nascimento: 10.06.1959, em Reggiolo/ITA

Alguém que alcança o sucesso em sua terra natal já é merecedor de aplausos, mas aquele que consegue feitos elogiáveis também em terras estrangeiras é digno de reconhecimento ainda maior.

Este é o caso de Ancelotti, que, após ter uma brilhante carreira como atleta e disputar duas Copas do Mundo pela seleção da Itália (1986 e 1990), deu início à sua trajetória como técnico no pequeno Reggiana/ITA, mas rapidamente se transferiu para o Parma/ITA. De lá, assumiu a poderosíssima Juventus, de Turim, e, duas temporadas mais tarde, assinou com o Milan. Na equipe milanista, trabalhou por oito anos consecutivos e faturou um Campeonato Italiano (2003/04), duas Champions League (2002/03 e 2006/07) e o Mundial Interclubes da FIFA de 2007, dentre outros.

É então que decide fazer história em novos lugares, parando primeiro na Inglaterra. Lá, leva o Chelsea ao título da Premier League de 2009/10. Dois anos mais tarde, já no comando do Paris Saint-Germain, conquista o Campeonato Francês. Rapidamente, faz de novo as malas e ruma para a Espanha, onde assume o Real Madrid e pelo qual se torna, mais uma vez, campeão europeu, em 2014. Não satisfeito, embarca para a Alemanha e, bingo!, sagra-se campeão nacional pelo Bayern de Munique em 2016/17.

Em 2022, tornou-se o treinador (de volta ao Real Madrid) com mais conquistas em torneios interclubes da UEFA (oito), e também o mais vitorioso da Champions (quatro). Somando-se estas conquistas como treinador aos dois títulos enquanto era jogador, Ancelotti igualou-se ao espanhol Francisco Gento (que conquistou a competição por seis vezes como jogador) como o maior vencedor da Liga dos Campeões da UEFA.

Carlos Bianchi | *Nome*: Carlos Bianchi
Data e Local de Nascimento: 26.04.1949, em Buenos Aires/ARG

Excelente atacante — é o maior artilheiro da história do Vélez Sarsfield/ARG, com mais de 200 gols, e foi também o principal goleador do Campeonato Francês em cinco temporadas —, manteve o sucesso também como treinador, função na qual estreou no final dos anos 80 dirigindo pequenas equipes francesas.

Mas foi em seu país que consolidou de vez o seu nome como um dos melhores técnicos de todos os tempos. No Vélez, faturou os títulos do Campeonato Argentino (1993, 1995 e 1996), da Libertadores de 1994 e do Mundial Interclubes de 1996. Já pelo Boca Juniors, seu currículo é ainda mais impressionante: quatro campeonatos nacionais (1998, 1999 — Apertura e Clausura — e 2000), três Copas Libertadores da América (2000, 2001 e 2003) e dois mundiais (2000 e 2003).

Não à toa, foi apelidado de "Mister Libertadores", eleito cinco vezes o melhor técnico sul-americano (1994, 1998, 2000, 2001 e 2003) e duas vezes o melhor treinador do mundo (2000 e 2003).

Carlos Bilardo | *Nome*: Carlos Salvador Bilardo
Data e Local de Nascimento: 16.03.1938, em Buenos Aires/ARG

Após uma carreira relativamente feliz como jogador, decidiu abraçar a função de treinador em 1971, no Estudiantes/ARG. Em seguida, dirigiu também o Deportivo Cáli/COL, a seleção da Colômbia e, entre 1983 e 1990, a poderosa seleção argentina.

E foi no comando do selecionado portenho que alcançou as maiores glórias de sua carreira, sagrando-se campeão mundial em 1986 e vice-campeão quatro anos mais tarde.

César Menotti | *Nome*: César Luis Menotti
Data e Local de Nascimento: 05.11.1938, em Rosário/ARG

Dizem que a primeira vez a gente nunca esquece. Se isso é mesmo verdade, então nossos "hermanos" jamais se esquecerão deste treinador, o primeiro a fazer do país um campeão mundial.

E tudo começou de forma surpreendente, já que, quando foi convidado pela AFA (Associación del Fútbol Argentino) para assumir o comando da seleção, possuía no currículo apenas um título como técnico — o de campeão metropolitano pelo pequeno Huracán, time portenho, em 1972/73. Mas os dirigentes resolveram apostar naquele, então, jovem profissional de somente 35 anos que recém-encerrara sua carreira de jogador defendendo o Juventus da Mooca, time da capital paulista.

Bem, deu mais do que certo... embora tenha cometido o imperdoável pecado de não convocar Maradona para a Copa do Mundo de 1978, alegando que a juventude (Diego contava, na época, somente 17 anos) do já craque lhe impediria de desempenhar seu genial futebol.

Didier Deschamps | *Nome*: Didier Claude Deschamps
Data e Local de Nascimento: 15.10.1968, em Baiona/FRA

Se ganhar uma Copa do Mundo já é algo maravilhoso, imagine então ganhar duas. E se cada uma delas for em uma função diferente, melhor ainda.

E foi exatamente isso o que aconteceu com este, agora, treinador. Antes de levar a França ao seu bicampeonato mundial em 2018, ele já havia atingido a glória exatos 20 anos antes, quando comandou o setor defensivo do meio-campo dos "Bleus" na finalíssima contra o Brasil. Assim, ao lado do alemão Franz Beckenbauer e do brasileiro Mário Jorge Lobo Zagallo, é hoje um dos campeões do mundo, tanto como jogador quanto como treinador.

Por sinal, o talento que mostrava em campo rapidamente passou a exibir também quando trocou os gramados pelo banco de reservas. Já em um de seus primeiros anos à frente do Mônaco/FRA, levou a humilde equipe ao vice-campeonato europeu de 2004. Mas foi no Olympique de Marseille que faturou seus principais títulos em clubes, casos do Campeonato Francês (2009/10) e das Copas da França de 2010 e 2011.

Iniciou seu vitorioso trabalho à frente da seleção francesa em 2012 e, mesmo com a eliminação para a Alemanha nas quartas de final da Copa do Mundo de 2014, foi mantido no cargo. Em 2016, perdeu — em casa! — para Portugal a final da Eurocopa, mas novamente permaneceu no cargo.

Dois anos mais tarde, para a tristeza dos brasileiros... deu no que deu. E ainda foi vice-campeão na Copa do Mundo de 2022.

Enzo Bearzot | *Nome*: Vincenzo Bearzot
Data e Local de Nascimento: 26.09.1927, em Aiello del Friuli/ITA
Data e Local de Falecimento: 21.12.2010, em Milão/ITA

Pode um treinador sem muita experiência e título algum por um clube assumir o comando de uma das seleções mais importantes e tradicionais do planeta? Pode, desde que este treinador seja o personagem do qual falamos agora.

Logo após encerrar sua carreira de atleta, em 1964, ele assumiu a assistência técnica do Torino/ITA e, pouco depois, idêntico cargo na seleção italiana, função que desempenhou na Copa do Mundo de 1974. Três anos mais tarde, tornou-se o técnico principal da equipe, levando-a ao 4º lugar no Mundial da Argentina, em 1978.

Mantido no cargo, conseguiu a proeza de eliminar a fantástica Seleção Brasileira em 1982, na Espanha, e, mais do que isso, também ganhou o tricampeonato do mundo para a Azzurra, vencendo a Alemanha Ocidental na grande decisão.

Franz Beckenbauer | *Nome*: Franz Anton Beckenbauer
Data e Local de Nascimento: 11.09.1945, em Munique/ALE

O personagem-título deste espaço leva uma enorme vantagem sobre quase todos os demais ídolos relembrados aqui: ao lado do francês Zinédine Zidane, é um dos raros personagens a ser relacionado como um dos melhores da história do futebol, tanto como atleta quanto como treinador.

Após se tornar um dos maiores craques de todos os tempos e encerrar sua trajetória como jogador no New York Cosmos/EUA, em 1983, o "Kaiser" (apelido que, em alemão, significa Imperador) recebeu o surpreendente convite da Federação Alemã de Futebol para dirigir sua seleção e montar um time para a disputa da Copa do Mundo do México, em 1986. E ele ficou muito longe de decepcionar: logo de cara, tornou-se vice-campeão mundial.

Nem mesmo o decepcionante 3º lugar na Eurocopa de 1988, disputada em casa, abalou a confiança que dirigentes e torcedores tinham em seu maior ídolo. Assim, foi mantido no cargo para a Copa seguinte, em 1990, na Itália, e, daquela vez, conseguiu a façanha de se tornar, à época ao lado apenas do brasileiro Zagallo, campeão, tanto como jogador quanto como treinador.

Assim que deixou o comando da seleção alemã logo após levantar o troféu na final contra a Argentina de Maradona, foi para a França dirigir o Olympique de Marseille e, depois, seu time de coração, o Bayern, pelo qual faturou o campeonato nacional 1993/94 e também a Copa da UEFA de 1996.

Helmut Schön | *Nome*: Helmut Schön
Data e Local de Nascimento: 15.09.1915 em Dresden/ALE
Data e Local de Falecimento: 23.02.1996, em Wiesbaden/ALE

Antes de assumir o comando da seleção da Alemanha, Schön foi integrante da comissão técnica chefiada por Sepp Herberger por oito anos, entre 1956 e 1964. Assim que o titular deixou o comando, foi convidado a assumir o seu lugar, e à frente do selecionado nacional fez história dirigindo a equipe por ininterruptos 14 anos, período em que disputou nada menos do que quatro Copas do Mundo: 1966 (vice-campeão), 1970 (terceiro colocado), 1974 (campeão) e 1978 (quartas de final).

A má campanha alemã no Mundial da Argentina causou-lhe a demissão, já que o principal motivo do insucesso, segundo a imprensa e a torcida do país, foram as ausências de Beckenbauer e Breitner, com os quais havia se desentendido anos antes e, por isso, deixado de fora da equipe.

Joachim Löw | *Nome*: Joachim Löw
Data e Local de Nascimento: 03.02.1960, em Schönau im Schwarzwald/ALE

Ninguém poderia imaginar que aquele ex-meia de talento apenas razoável poderia se tornar um dos principais técnicos de todos os tempos, até porque sua trajetória fora dos gramados também não chegava a chamar a atenção de muita gente — havia treinado pequenas equipes do futebol alemão até assumir o Stuttgart e, neste, faturar a Copa da Alemanha de 1997 e o vice--campeonato da Recopa europeia no ano seguinte.

Apesar de tal retrospecto, aceitou o convite feito pelo amigo Jürgen Klinsmann para ser seu auxiliar na seleção principal do seu país. Logo após a demissão do ex-atacante, fato que se deu depois da Copa de 2006, assumiu o comando do time e deu início a um pleno e vitorioso período de reformulação.

Já em 2008, foi à final da Eurocopa, perdendo a decisão para a Espanha. Dois anos mais tarde, comandou a "Mannschaft" no Mundial da África do Sul, em que terminou na 3ª posição. Apesar da falta de títulos, o trabalho que realizava e as revelações de grandes jogadores o mantiveram no cargo, e o resultado disso não poderia ter sido melhor: em 2014, a Alemanha entrou para a história ao impor a maior derrota da Seleção Brasileira em uma Copa do

Mundo (7 x 1) e, claro, também por faturar o tetracampeonato mundial vencendo a Argentina na grande final.

José Mourinho | *Nome*: José Mário dos Santos Mourinho Félix
Data e Local de Nascimento: 26.01.1963, em Setúbal/POR

Há profissionais cujo currículo recheado de títulos fala por si só, sendo desnecessárias maiores explicações do porquê do sucesso que fazem. Este é o caso do treinador em questão, cujas conquistas espelham com fidelidade o tamanho do seu talento. Vamos a elas:

Bicampeão português (2002/03 e 2003/04), campeão da Taça de Portugal (2002/03), da Supertaça de Portugal (2003), da Copa da UEFA (2002/03) e da Champions League (2003/04) pelo Porto;

Tricampeão inglês (2004/05, 2005/06 e 2014/15), tricampeão da Copa da Inglaterra (2004/05, 2006/07 e 2014/15) e campeão da Supercopa da Inglaterra (2005) pelo Chelsea;

Bicampeão italiano (2008/09 e 2009/10), campeão da Copa da Itália (2009/10), campeão da Supercopa da Itália (2009) e campeão da Liga dos Campeões da UEFA (2009/10) pela Internazionale;

Campeão espanhol (2011/12), campeão da Copa do Rei (2010/11) e campeão da Supercopa da Espanha (2012) pelo Real Madrid);

Campeão da Supercopa da Inglaterra (2016), campeão da Copa da Inglaterra (2016/17) e campeão da Liga Europa da UEFA (2016/17) pelo Manchester United.

Campeão da Conference League Europa (2021/22) pela Roma.

Se tudo isso já não fosse mais do que suficiente para tornar este um dos melhores treinadores de futebol de todos os tempos, ainda podem ser citados inúmeros prêmios individuais que recebeu em toda a carreira, com destaque para o de melhor técnico do planeta em 2010, outorgado pela FIFA.

Jürgen Klopp | *Nome*: Jürgen Norbert Klopp
Data e Local de Nascimento: 16.06.1967, em Stuttgart/ALE

Após encerrar uma carreira apenas razoável como zagueiro aos 34 anos, jamais poderia imaginar que, pouco depois, chegaria ao status de um dos mais importantes técnicos do mundo não só na atualidade, mas em todos os tempos. E os números que sua carreira apontam explicam facilmente como isso se deu.

Sua história à beira do campo começa justamente no clube alemão em que parou de jogar, o Mainz 05, onde permaneceu por sete anos. Em seguida, foi contratado pelo Borussia Dortmund/ALE, e mais uma vez fez um longo trabalho — de 2008 a 2015 —, levando a equipe a uma final de Liga dos Campeões (2013). Seu desafio seguinte foi o gigante Liverpool/ING, onde está desde então e pelo qual já faturou a Champions (2018/19), o Mundial Interclubes (2019) e a Premier League (2019/20), entre outros títulos.

Já foi eleito duas vezes (2019 e 2020) o melhor técnico do mundo pela FIFA.

Luis Cubilla | *Nome*: Luis Alberto Cubilla Almeida
Data e Local de Nascimento: 28.03.1940, em Paysandú/URU
Data e Local de Falecimento: 03.03.2013, em Assunção/PAR

Um dos melhores jogadores de futebol de toda a história do Uruguai, este treinador manteve o nível quando decidiu pendurar as chuteiras e assumir o comando de grandes equipes sul-americanas e também da seleção uruguaia.

Se dirigindo a Celeste Olímpica não obteve o sucesso esperado, à frente do Olimpia/PAR conseguiu a façanha de faturar duas Copas Libertadores da América (1979 e 1990). De quebra, sagrou-se também campeão mundial no fim de 1979, vencendo o Malmö/SUE na grande decisão.

Marcello Lippi | *Nome*: Marcello Romeo Lippi
Data e Local de Nascimento: 11.04.1948, em Viareggio/ITA

Pouca gente sabe, mas o trabalho de um técnico de futebol não se restringe à definição do esquema tático, à escalação da equipe titular ou à escolha da estratégia para se vencer uma partida ou mesmo um campeonato. Na verdade, o comandante de uma equipe funciona também como pai, irmão, amigo e, sobretudo, psicólogo.

E é exatamente neste último caso que se encontra este treinador. Após brilhar no comando da Juventus, de Turim, nos anos 90 e 2000, período em que faturou o Scudetto cinco vezes (1994/95, 1996/97, 1997/98, 2001/02 e 2002/03), uma Copa Itália (1995), quatro Supercopas Italianas (1995, 1997,

2002 e 2003), uma Champions League (1995/96), uma Supercopa Europeia (1996) e um Mundial Interclubes (1996), foi convidado a assumir a seleção italiana em 2004.

Até aí, nada mais justo e esperado. O que não se previa é que justamente quando ele passou a dirigir o selecionado nacional surgisse um dos maiores escândalos da história do futebol italiano — vários dos atletas que convocou e que formariam a base da equipe foram acusados de participar de um esquema de compra de resultados e manipulação de jogos envolvendo a loteria esportiva do país, cuja investigação acabou por rebaixar de forma sumária a sua Juve à Segunda Divisão e fazer com que o Milan começasse o torneio seguinte com 12 pontos a menos do que todos os demais participantes.

Lippi teve, então, de trabalhar o ânimo dos jogadores, mexer com os brios de cada um, a fim de que pudesse ter na Copa de 2006 uma participação ao menos condizente com a história que a Squadra Azzurra sempre teve. E seu trabalho não poderia ter tido maior êxito: mesmo sem ser, nem de longe, a favorita ao título, a Itália subjugou todas as adversidades possíveis e faturou aquele que foi o seu tetracampeonato mundial vencendo a França na grande decisão.

Osvaldo Zubeldía | *Nome*: Osvaldo Juan Zubeldía
Data e Local de Nascimento: 24.06.1927, em Junín/ARG
Data e Local de Falecimento: 17.01.1982, em Medellín/COL

Alguns treinadores têm a saborosa oportunidade de presenciar o crescimento de um clube, e isso aconteceu com este técnico. Quando assumiu o Estudiantes, em 1965, a equipe de La Plata lutava para não ser rebaixada, e sua missão era apenas mantê-la na elite da bola portenha. Justamente por isso, ninguém poderia imaginar o que estaria por vir.

Ciente da difícil situação financeira por que passava o clube, o técnico promoveu alguns jovens talentos e foi preciso na indicação de reforços baratos, mas que, em sua opinião, poderiam ajudar na concretização do objetivo maior. Deu certo.

Ou melhor: deu mais do que certo. Sob seu comando, o "Pincha" não só permaneceu entre os grandes do futebol argentino como rapidamente também passou a sê-lo, faturando o campeonato nacional em 1967 e dando início, com aquela conquista, à chamada "Era de Ouro" do clube. Aquele título lhe valeu a vaga na edição seguinte da Libertadores, a qual venceu superando o Palmeiras na final. Não contente, sagrou-se também campeão mundial ao vencer o Manchester United/ING. Sob seu comando, o time ainda ganharia as duas Libertadores seguintes.

Após faturar outro Campeonato Argentino em 1974, pelo San Lorenzo, mudou-se para a Colômbia e, lá, ganhou os títulos nacionais de 1976 e 1981. Ainda estava no comando do alviverde de Medellín quando faleceu, com apenas 54 anos.

Pep Guardiola | *Nome*: Josep Guardiola i Sala
Data e Local de Nascimento: 18.01.1971, em Santpedor/ESP

Nada melhor do que iniciar a carreira de treinador no mesmo clube em que se foi ídolo como jogador.

Um dos maiores nomes da história do Barcelona, Guardiola começou dirigindo a equipe B do clube catalão, pela qual se sagrou campeão espanhol da Terceira Divisão em 2007. Promovido ao time principal no ano seguinte, deu início a uma das mais vitoriosas fases do clube, faturando nada menos do que 14 títulos: Copa do Rei (2008/09 e 2011/12), Campeonato Espanhol (2008/09, 2009/10, 2010/11), Supercopa da Espanha (2009, 2010 e 2011), Champions League (2008/09, 2010/11), Supercopa Europeia (2009 e 2011) e Mundial Interclubes (2009 e 2011).

Talvez por ter sido dirigido pelo holandês Johan Cruyff, que, por sua vez, fora comandado por outro lendário nome do futebol da Holanda, Rinus Michels, trouxe para o futebol atual a maneira ofensiva com que ambos trabalhavam suas equipes, priorizando compactação, marcação alta, pressão quase que contínua e posse de bola. Tal maneira de jogar foi apelidada pela imprensa de "tiki-taka".

Após deixar o Barça, assumiu o comando do Bayern e deu sequência à sua trajetória de títulos, faturando o tricampeonato da Bundesliga (2013/14, 2014/15 e 2015/16), duas vezes a Copa da Alemanha (2013/14 e 2015/16), a Supercopa Europeia (2013) e o Mundial de Clubes (2013).

Em seguida, aceitou o convite do Manchester City e, como de praxe, também já faturou onze taças: quatro Premier League (2017/18, 2018/19, 2020/21 e 2021/22), a Copa da Inglaterra (2018/19), quatro na Copa da Liga Inglesa (2017/18, 2018/19, 2019/20 e 2020/21) e duas na Supercopa da Inglaterra (2018 e 2019).

Em 2011, foi eleito pela FIFA o melhor treinador do mundo.

Rinus Michels | *Nome*: Marinus Jacobus Hendricus Michels
Data e Local de Nascimento: 09.02.1928, em Amsterdã/HOL
Data e Local de Falecimento: 03.03.2005, em Aalst/BEL

Você é capaz de imaginar a honra de ser considerado o inventor do "futebol total"? Pois este profissional, sim. E mais: com toda a justiça. Afinal, foi sob seu comando que, pela primeira vez na história, viu-se em campo uma equipe cujo único jogador a, de fato, guardar uma posição era, obviamente, o goleiro.

Falamos da seleção da Holanda que, na Copa do Mundo de 1974, surpreendeu e encantou o mundo com um esquema tático em que zagueiros podiam ser meias, laterais podiam ser pontas, meias podiam ser volantes e até zagueiros, e, por fim, atacantes nem sempre eram atacantes — podiam ser meias ou então volantes.

Tal esquematização tática, que inicialmente parecia fadada ao fracasso, chocou imprensa e torcedores de todo o planeta por detalhes como a facilidade com que cada atleta desempenhava mais de uma função, a velocidade e a plasticidade que impunham às partidas, tornando o jogo infinitamente mais atraente e, principalmente, ao estado de quase torpor que os adversários eram relegados.

O título daquele Mundial na Alemanha, como sabemos, não ficou com a "Laranja Mecânica", mas o "Carrossel Holandês" marcou tanto a história do futebol que, em 1999, a FIFA elegeu seu criador (cujo único título com o selecionado de seu país foi o da Eurocopa de 1988) como o melhor técnico do mundo do Século 20.

Sepp Herberger | *Nome*: Josef Herberger
Data e Local de Nascimento: 28.03.1897, em Mannheim/ALE
Data e Local de Falecimento: 28.04.1977, em Hohensachsen/ALE

Como se sabe, alguns jogadores de futebol tornam-se santos. Mas na história do futebol há pelo menos um treinador que também foi capaz de promover um autêntico milagre.

Este técnico conseguiu, em 1954, aquilo que ninguém sequer imaginava ser possível: comandando a Alemanha, venceu a fortíssima Hungria na final da Copa do Mundo. Para tanto, é bem verdade, utilizou-se de uma estratégia inteligentíssima: quando se enfrentaram na fase de classificação, ele mandou a campo um time repleto de suplentes. Perdeu, e de forma humilhante — 8 x 3! —, assim deixando a impressão aos húngaros de que sua equipe seria presa fácil, caso se encontrassem novamente.

Para sorte dos alemães, tal encontro se deu na grande final. Atuando com todos os titulares, a Alemanha surpreendeu e ganhou o jogo (3 x 2), faturando seu primeiro título mundial. Não à toa, aquela vitória ficou conhecida como o "Milagre de Berna", cidade suíça onde se realizou a partida.

Vicente del Bosque | *Nome*: Vicente del Bosque González
Data e Local de Nascimento: 23.12.1950, em Salamanca/ESP

Muitos personagens incluem seu nome na história do futebol por terem vencido em vários clubes diferentes. A outros, porém, basta ganhar em uma única equipe para que sejam eternizados.

O segundo caso é no qual se insere este treinador. Afinal, em seu currículo constam apenas uma equipe — o Real Madrid — e uma seleção — a da Espanha. Mas à frente de ambas, sem dúvida, Del Bosque marcou época. Pelo clube madrilenho, faturou oito grandes conquistas: Campeonato Espanhol (2000/01 e 2002/03), Supercopa da Espanha (2001 e 2003), Champions League (1999/00 e 2001/02), Supercopa Europeia (2002) e Mundial Interclubes (2002), dentre outros.

Já pela "Fúria" foram apenas duas as taças levantadas, mas de uma importância indiscutível: a Eurocopa de 2012 e, sobretudo, a Copa do Mundo de 2010, quando colocou seu país no seleto grupo dos campeões mundiais.

Vittorio Pozzo | *Nome*: Vittorio Pozzo
Data e Local de Nascimento: 02.03.1886, em Turim/ITA
Data e Local de Falecimento: 21.12.1968, em Ponderano/ITA

O único treinador a conquistar duas Copas do Mundo.

Apenas a frase acima já tornaria este técnico um dos mais importantes de todos os tempos. Afinal, foi à frente da seleção italiana que sagrou-se campeão mundial em 1934 e 1938, além de ter vencido, também, as Olimpíadas de 1936. Assim, detém a honra de ter sido o único a ganhar ambas as competições como treinador.

Adepto a polêmicas decisões para a época, o ex-combatente na Primeira Guerra Mundial implantou na Azzurra uma espécie de "militarismo", adotando a concentração pré-jogo, a não convocação de jogadores fumantes e o convite a atletas "oriundi", ou seja, filhos e netos de italianos que nasceram em outros países. O mais famoso deles foi o brasileiro Filó, que, com a camisa da Itália, disputou a Copa do Mundo de 1934 com seu sobrenome: Guarisi — desta forma, tornou-se o primeiro brasileiro a ser campeão mundial.

Zinédine Zidane | *Nome*: Zinédine Yazid Zidane
Data e Local de Nascimento: 23.06.1972, em Marseille/FRA

Um dos melhores jogadores da França e do mundo em todos os tempos, ele bem poderia simplesmente deixar que sua história dentro de campo falasse por si só. Mas, não: decidiu dar início a uma nova etapa de sua vida e, em 2013, começou sua trajetória no banco de reservas como auxiliar-técnico do italiano Carlo Ancelotti no Real Madrid/ESP, clube pelo qual já brilhara como atleta.

Galgando cada degrau de forma consciente, no ano seguinte aceitou o convite para dirigir a equipe B do time madrilenho, uma decisão que em muito contribuiu para o que estava por vir. E o que estava por vir era, claro, a chance de comandar o time principal, função que assumiu em 2016.

À frente dos "Merengues", faturou nada menos do que nove títulos importantes: Campeonato Espanhol (2016/17), Supercopa da Espanha (2017), Troféu Santiago Bernabéu (2016/17), Champions League (2015/16, 2016/17, 2017/18), Supercopa da UEFA (2016/17) e Mundial Interclubes (2016 e 2017). Por tudo isso, foi eleito pela FIFA o melhor técnico do mundo em 2017.

Surpreendentemente, pediu demissão três dias após faturar o tricampeonato europeu, alegando que, para continuar vencendo, o Real Madrid precisaria de uma outra metodologia de trabalho. Contudo, após sua saída, o time nunca mais voltou a mostrar o futebol de primeira que assombrou o mundo durante sua passagem. Em março de 2019, retornou ao clube substituindo o argentino Santiago Solari, logo após a precoce eliminação na Champions.

CAPÍTULO DEZESSEIS

Os Mais Importantes Técnicos Brasileiros de Todos os Tempos

Abel Braga | *Nome*: Abel Carlos da Silva Braga
Data e Local de Nascimento: 01.09.1952, no Rio de Janeiro/RJ

Ex-zagueiro de boa qualidade — disputou a Copa do Mundo de 1978 como reserva de Oscar —, conseguiu muito mais sucesso como treinador. Iniciou sua carreira no pequeno Goytacaz, de Campos, no norte fluminense, e, em seguida, rumou para Portugal, onde permaneceu por cinco anos comandando times menores, é verdade, mas também com muito sucesso.

Após retornar, demorou um certo tempo até se consolidar entre os mais importantes técnicos de sua geração, algo que de fato só aconteceu quando faturou dois títulos paranaenses seguidos (pelo Athletico, em 1998, e pelo Coritiba, no ano seguinte). Além destes, vale destacar também as conquistas dos Campeonatos Cariocas por Flamengo (2004 e 2019) e Fluminense (2005, 2012 e 2022). Pelo Tricolor das Laranjeiras, ganhou também o Brasileirão de 2012. Em 2020, foi eleito pela CBF o melhor treinador do Brasil.

Mas o ápice de sua carreira se deu à frente do Internacional. No clube gaúcho, Abel Braga faturou a Libertadores da América de 2006 e o Mundial Interclubes do mesmo ano, quando derrotou o poderoso Barcelona/ESP, sendo esta a maior conquista da história colorada.

Antônio Lopes | *Nome*: Antônio Lopes dos Santos
Data e Local de Nascimento: 12.06.1941, no Rio de Janeiro/RJ

Existem inúmeros tipos de treinadores, mas o que melhor exemplificou o chamado "linha dura" foi mesmo Antônio Lopes, que adotou nos gramados e no comando de suas equipes o mesmo estilo que utilizara em sua primeira função profissional — a de comissário da Polícia Civil (inclusive, muitos o chamavam pelo apelido de "Delegado").

Mesmo assim, podemos dizer — e sem nenhum medo de errar — que tal forma de trabalhar deu certo. Afinal, foram ao todo 10 importantes títulos, com destaque para três Cariocas (1982, 1998 e 2003) e um Torneio Rio-São Paulo (1999), todos pelo Vasco da Gama; dois Brasileirões (em 1997, também pelo clube de São Januário, e em 2005, pelo Corinthians); e a Libertadores da América de 1998, sendo esta a conquista de maior peso na história cruz-maltina. Lopes também foi vice-campeão continental em 2005, dirigindo o Athletico Paranaense.

E se tudo isso já não fosse suficiente, ainda por cima foi o coordenador técnico da Seleção Brasileira que, em 2002, faturou o pentacampeonato mundial.

Aymoré Moreira | *Nome*: Aymoré Moreira
Data e Local de Nascimento: 24.04.1912, em Miracema/RJ
Data e Local de Falecimento: 26.07.1998, em Salvador/BA

O grande feito de "Biscoito" como treinador não foi, acreditem, levar o Brasil à conquista do bicampeonato mundial em 1962, mas sim a estratégia que utilizou antes e durante aquela Copa para que tal objetivo fosse alcançado.

Chamado às pressas para o lugar de Vicente Feola, que, doente, não pôde seguir à frente da Seleção Brasileira, alterou a forma de jogar do time — de uma ofensividade avassaladora para um ritmo mais cadenciado, de mais posse de bola e de troca de passes entre as intermediárias. Com isso, manteve a qualidade técnica e, ao mesmo tempo, não exigiu muito fisicamente de uma Seleção que, em sua maioria, estava também quatro anos mais velha.

Já durante a Copa, perdeu Pelé, que acabou se contundindo logo no segundo jogo. Mas foi perfeito na escolha do substituto: embora boa parte da crônica exigisse a entrada de Mengálvio, ele bancou Amarildo e, assim, não precisou alterar novamente o esquema tático, já que o "Possesso" tinha características semelhantes às do Rei do Futebol. Tal decisão, aliada à exuberante fase de Garrincha, garantiram à Seleção Canarinho a conquista de mais um título mundial.

Além de vencer outras competições de menor peso pelo Brasil, Aymoré Moreira faturou, também, o Campeonato Brasileiro de 1967 pelo Palmeiras.

Carlos Alberto Parreira | *Nome*: Carlos Alberto Gomes Parreira
Data e Local de Nascimento: 27.02.1943, no Rio de Janeiro/RJ

Uma das maiores polêmicas do futebol envolve aqueles que defendem que todo e qualquer treinador precisa, obrigatoriamente, ter sido jogador e os que afirmam que uma função não tem, necessariamente, de estar atrelada à outra. Daí que a escolha de Parreira, formado apenas em Educação Física e sem habilitação alguma em futebol, para técnico da Seleção Brasileira a partir de 1991 causou uma grande discussão em todo o país.

O fato de já ter tido uma breve passagem pelo Selecionado Nacional, em 1983, e também ter trabalhado nas Copas do Mundo de 1982 (pelo Kuwait) e de 1990 (pelos Emirados Árabes), em nada diminuiu a fúria da imprensa quando seu nome foi anunciado como substituto de Sebastião Lazaroni. A CBF, porém, queria um comandante que fosse adepto do chamado "futebol de resultado", já que sonhava com o tetracampeonato.

Desta forma, Parreira assumiu a função e iniciou um processo de mudanças táticas e técnicas, optando por um sistema defensivo muito sólido e capaz de, com isso, liberar a dupla de atacantes, preferencialmente formada por Bebeto e Romário. Certo ou não, o fato é que o Brasil voltou com a taça e ele entrou definitivamente para a história como o treinador que nos deu o tetra. Doze anos mais tarde, novamente dirigiu a nossa Seleção em um Mundial, mas não foi além das quartas de final.

No tocante a seu trabalho em clubes, o destaque fica para o Fluminense (campeão carioca de 1975 e brasileiro de 1984) e o Corinthians (campeão da Copa do Brasil e do Torneio Rio-São Paulo, ambos em 2002). Também faturou o título do Campeonato Turco pelo Fenerbahçe, em 1996.

Carlos Alberto Silva | *Nome*: Carlos Alberto Silva
Data e Local de Nascimento: 14.08.1939, em Bom Jardim de Minas/MG
Data e Local de Falecimento: 20.01.2017, em Belo Horizonte/MG

Bastaria única e tão somente o primeiro título de sua carreira para que Carlos Alberto Silva já merecesse aparecer dentre os mais importantes técnicos brasileiros de todos os tempos. Afinal, ele foi (e continua sendo) o único a conduzir uma equipe interiorana à conquista do Campeonato Brasileiro.

O fato se deu em 1978, quando sob seu comando o surpreendente e talentoso Guarani venceu as duas partidas finais sobre o Palmeiras e faturou a taça, contando, principalmente, com um time que tinha craques como Zé Carlos, Renato e Zenon, e a genialidade de um jovem centroavante chamado Careca.

Após brilhar em Campinas, iniciou sua trajetória por grandes clubes brasileiros, com destaque para o São Paulo (campeão paulista em 1980 e 1989) e o Atlético Mineiro (bicampeão mineiro em 1981 e 1982). Medalha de ouro pelo Brasil nos Jogos Pan-Americanos de 1987, em Indianápolis, foi convidado pela CBF para iniciar um processo de renovação na Seleção Brasileira, visando inicialmente às Olimpíadas de Seul, no ano seguinte, e à Copa do Mundo da Itália, em 1990. Foi por meio de suas mãos que chegaram à equipe nomes como o goleiro Taffarel, o lateral-direito Jorginho, o atacante Bebeto e o centroavante Romário, futuramente vice-campeões olímpicos e, também, tetracampeões mundiais.

Carlos Alberto Silva teve destaque também no futebol europeu, onde foi bicampeão português pelo Porto (1991/92 e 1992/93), e no japonês, onde foi campeão pelo Yomiuri Kawasaki.

Cláudio Coutinho | *Nome*: Cláudio Pecego de Moraes Coutinho
Data e Local de Nascimento: 05.01.1939, em Dom Pedrito/RS
Data e Local de Falecimento: 27.11.1981, no Rio de Janeiro/RJ

Logo após a demissão de Oswaldo Brandão, em fevereiro de 1977, havia uma certeza: o novo treinador da Seleção Brasileira seria Rubens Minelli. Até porque ele era, então, o bicampeão brasileiro pelo Internacional, além de já ter conquistado outros relevantes títulos. Mas a CBD, de forma surpreendente, escolheu Cláudio Coutinho, o que gerou uma enorme revolta na imprensa, sobretudo a paulista e a gaúcha.

Mas o técnico deu início ao seu trabalho sem se importar com a colossal pressão contrária, e teve personalidade suficiente para impor sua filosofia de trabalho. Esta, aliás, também foi alvo de severas críticas, pois trazia funções táticas e técnicas muito comuns ao futebol europeu, mas até então desconhecidas no Brasil.

Defendendo que a Seleção Brasileira não poderia mais depender apenas de seus craques, trouxe termos como "overlapping", "ponto futuro", "líbero flutuante" e "alas". Com isso, sob o seu comando, o Brasil passou a ser uma equipe muito mais preocupada com o sistema defensivo, algo que para grande parte dos jornalistas especializados e quase toda a torcida era simplesmente inaceitável. Uma prova de sua concepção tática foi ter deixado de fora da lista final daquela Copa o craque Falcão, do Inter, volante com excelente qualidade técnica e impecável saída de jogo, e para o seu lugar ter convocado Chicão, do São Paulo, meramente um ótimo marcador.

Mas foi desta forma que ele convocou, treinou e escalou o Brasil durante a Copa do Mundo de 1978, da qual, a bem da verdade, só não chegou à finalíssima devido ao suspeito jogo entre Peru e Argentina. Após vencer a Itália na decisão do 3º lugar, retornou ao Brasil dizendo que nossa Seleção era a "campeã moral" daquela competição — declaração que, claro, também foi motivo de críticas.

Sua trajetória em clubes se resume ao Flamengo, pelo qual faturou o terceiro tricampeonato carioca da história do Rubro-Negro (1978/79/79), o tradicional Torneio Ramón de Carranza, na Espanha, de 1979 e 1980, e o Brasileirão de 1980.

Cuca | *Nome*: Alexi Stival
Data e Local de Nascimento: 07.06.1963, em Curitiba/PR

Raros são os casos de jogadores que obtiveram sucesso em suas carreiras e que, quando trocam os gramados pelo banco, mantêm o mesmo status. No caso de Cuca, porém, isso aconteceu — muito embora tenha demorado para se tornar uma estrela também como treinador, este habilidoso ex-meia já é considerado, hoje, um dos melhores em sua função no país.

Dentre seus títulos mais expressivos — levantou dois canecos na China em 2014 e 2015 — podemos destacar o do Campeonato Carioca de 2009 (pelo Flamengo), os dos Campeonatos Mineiros de 2011 (pelo Cruzeiro) e de 2012 e 2013 (pelo Atlético), o da Copa do Brasil (2021), também pelo alvinegro de Minas, e os do Campeonato Brasileiro de 2016 e 2021 (por Verdão e Galo, respectivamente). Nesse ano foi eleito, também, o melhor treinador do Brasil.

Mas, sem dúvida alguma, o ápice de sua carreira até este momento aconteceu em 2013, quando conduziu o Galo à maior conquista de sua história: a Libertadores da América.

Ênio Andrade | *Nome*: Ênio Vargas de Andrade
Data e Local de Nascimento: 31.01.1928, em Porto Alegre/RS
Data e Local de Falecimento: 22.01.1997, em Porto Alegre/RS

Após dirigir o Náutico e algumas pequenas equipes do seu estado natal, Ênio Andrade teve a chance de comandar o Grêmio, mas não conseguiu levar o time ao título gaúcho. Aliás, se destacaria mesmo no maior rival gremista — pelo Inter, sagrou-se campeão brasileiro em 1979 e, até hoje, detém uma marca inigualável: obteve a taça de forma invicta. Tal "dívida" com o Tricolor Gaúcho seria paga dois anos mais tarde, ao levar a equipe ao título nacional diante do São Paulo e em pleno Morumbi.

Mas talvez a maior façanha de Ênio Andrade como treinador tenha sido a obtenção, em 1985, do seu terceiro Brasileirão — menos pelo fato e mais pelo clube: o Coritiba. Em uma final histórica e também, digamos, esdrúxula, venceu o pequeno Bangu, do subúrbio carioca, numa disputa por pênaltis, em pleno Maracanã.

Foi também campeão pernambucano pelo Santa Cruz (1976) e pelo Náutico (1984), e bicampeão mineiro pelo Cruzeiro (1990 e 1994).

Felipão | *Nome*: Luiz Felipe Scolari
Data e Local de Nascimento: 09.11.1948, em Passo Fundo/RS

Talvez não exista na história do futebol brasileiro um treinador com posturas tão antagônicas quanto este gaúcho de muitos amigos e poucos sorrisos. De um lado, é amado por quase 100% dos jogadores e dos membros das comissões técnicas que comandou, e que sob seu comando formaram não uma, mas várias "famílias Scolari", como ficaram conhecidos os grupos que dirigiu durante toda a sua carreira. Do outro, sempre manteve com a imprensa um relacionamento bastante difícil, e não foram poucas as vezes em que discutiu de forma áspera e até as vias de fato chegou.

Se é verdade que é dono de um dos currículos mais vitoriosos da história do futebol mundial (tem, entre outros títulos, três Campeonatos Gaúchos, quatro Copas do Brasil, duas Libertadores, dois Brasileiros, uma Recopa Sul-Americana, uma Copa Mercosul, um Torneio Rio-São Paulo, uma Copa das Confederações e uma Copa do Mundo), também é verdade que sentiu na pele a dor de ser rebaixado com o Palmeiras no Brasileirão em 2012 — embora tenha sido demitido poucas rodadas antes da queda — e no rosto a vergonha de ter sido o técnico que comandou o Brasil no maior vexame de sua história (a derrota por 7 x 1 para a Alemanha, no Mundial de 2014).

Como dizia o antigo jargão, Felipão — como prefere ser chamado — é assim mesmo: ame-o ou...

Flávio Costa | *Nome*: Flávio Rodrigues Costa
Data e Local de Nascimento: 14.09.1906, em Carangola/MG
Data e Local de Falecimento: 22.11.1999, no Rio de Janeiro/RJ

Nove vezes campeão carioca, sendo cinco pelo Flamengo (1939, 1942, 1943, 1944 e 1963) e quatro pelo Vasco da Gama (1947, 1949, 1950 e 1952).

Campeão do Campeonato Sul-Americano de Campeões pelo Vasco da Gama, uma espécie de precursor da Copa Libertadores da América (1948).

Campeão da Copa América (1949) e da Taça do Atlântico (1956), e vice-campeão mundial (1950) pela Seleção Brasileira.

Treinador que mais vezes comandou o Flamengo, num total de 784 jogos, tendo vencido 423.

Com um currículo como este...

João Saldanha | *Nome*: João Alves Jobim Saldanha
Data e Local de Nascimento: 03.06.1917, em Alegrete/RS
Data e Local de Falecimento: 12.07.1990, em Roma/ITA

Se a Seleção Brasileira teve em seu comando um treinador polêmico, este foi João Saldanha.

Contundente em suas análises de jogos e também em suas posições políticas — era membro do PCB, o Partido Comunista Brasileiro —, ficou conhecido como "João Sem Medo" justamente por peitar todos aqueles que dele discordavam, fossem quem fossem. Um dos mais conhecidos e respeitados jornalistas esportivos de sua época, ele chegou ao comando do time brasileiro em 1969, mesmo tendo no currículo uma única experiência: em 1957, dirigiu com sucesso o Botafogo, levando a equipe ao título carioca daquele ano.

Ainda assim, seu trabalho à frente do Selecionado Nacional esteve longe de decepcionar. Para tanto, escolheu os 11 titulares tendo por base os dois melhores times da época, o Santos e o Botafogo, com um ou outro nome de outras equipes, como Tostão, do Cruzeiro. Nas seis partidas que disputou pelas Eliminatórias da Copa do Mundo de 1970, venceu todas, classificando de forma tranquila a nossa equipe, que, na época, ficou conhecida como "As Feras do Saldanha".

Tudo ia muito bem até que o então recém-empossado presidente da República, Emílio Garrastazu Médici, comentou que gostaria de ver o centro-avante Dario "Dadá" Maravilha (também conhecido como "Peito de Aço"), do Atlético Mineiro, na Seleção. Este fato irritou demais o treinador que, mesmo vivendo o país numa ditadura militar, "peitou" Médici e saiu-se com esta: "O general nunca me ouviu quando escalou o seu Ministério. Por que, diabos, teria eu que ouvi-lo agora? O presidente escala o seu Ministério e eu escalo a nossa Seleção". Obviamente, dias depois ele seria demitido e, em seu lugar, após a negativa de Dino Sani, assumiu Zagallo. *Coincidentemente*, o ex-jogador convocou o atacante atleticano para o Mundial do México.

A partir de então, João Saldanha retomou suas atividades como jornalista esportivo, as quais exerceu até 1990, quando faleceu enquanto trabalhava pela TV Manchete durante a Copa do Mundo da Itália.

Leão | *Nome*: Emerson Leão
Data e Local de Nascimento: 11.07.1949, em Ribeirão Preto/SP

Se como goleiro Leão foi inquestionável, dados seu talento e sua enorme quantidade de títulos, como treinador não se pode dizer que ele ficou muito atrás. Por sinal, bem ao contrário: além de ser campeão em vários clubes, ainda teve a honra de dirigir a Seleção Brasileira.

A história deste polêmico personagem fora dos gramados começa em 1987 quando, ainda na condição de jogador do Sport, assumiu também o comando da equipe pernambucana. E começou muito bem, obrigado:

montou o time que, sob o comando de Jair Picerni, levou o Campeonato Brasileiro (Módulo Amarelo) daquele ano, diante do Guarani. A partir de então, dirigiu vários times do Japão e também do Brasil, com destaque para Atlético Mineiro (campeão da Copa Conmebol de 1997), Santos (vencedor da mesma competição no ano seguinte e também Campeão Brasileiro de 2002) e São Paulo (campeão paulista de 2005).

Em novembro de 2000, assumiu a Seleção Brasileira prometendo devolver à equipe a essência que sempre teve, mas não conseguiu cumprir: foi demitido logo em julho do ano seguinte, após a vexatória campanha na Copa das Confederações (o Brasil terminou em 4º lugar, perdendo até para a fraca Austrália).

Lula | *Nome*: Luís Alonso Pérez
Data e Local de Nascimento: 01.03.1922, em Santos/SP
Data e Local de Falecimento: 15.06.1972, em Santos/SP

Se fôssemos detalhar toda a carreira deste técnico, certamente seria necessário muito mais do que meia página ou mesmo um capítulo inteiro.

Sendo assim, resumamos sua trajetória em algumas informações mais relevantes:

Treinador que por mais tempo ininterruptamente dirigiu uma única equipe de ponta na história do futebol brasileiro: 12 anos (o Santos, entre 1954 e 1966);

Comandante que mais vezes venceu o Paulistão, num total de oito títulos (1955, 1956, 1958, 1960, 1961, 1962, 1964 e 1965), todos pelo Peixe;

Único técnico que faturou cinco Campeonatos Brasileiros de forma consecutiva (de 1961 a 1965, sempre pelo time da Vila Belmiro);

Bicampeão da Copa Libertadores da América (1962 e 1963), comandando Pelé e cia.;

Bicampeão Mundial Interclubes (1962 e 1963), pelo Alvinegro Praiano;

Tetracampeão do Torneio Rio-São Paulo (1959, 1963, 1964 e 1966) — nem é preciso dizer por qual clube, certo?

Mano Menezes | *Nome*: Luiz Antônio Venker Menezes
Data e Local de Nascimento: 11.06.1962, em Passo do Sobrado/RS

Não se pode negar que Mano Menezes seguiu à risca a dica de subir na vida degrau a degrau, pois começou como jogador amador, trabalhou como preparador físico, passou pelo comando de pequenas equipes do interior gaúcho e paranaense, chegou a grandes times do país e, também, à Seleção Brasileira, a qual dirigiu em 33 partidas, sem, no entanto, obter o mesmo sucesso que teria — e ainda tem — nos clubes.

Seus principais títulos foram obtidos com o Grêmio (Brasileiro da Série B em 2005 e Campeonato Gaúcho em 2006 e 2007), Corinthians (Brasileiro da Série B em 2008, Paulistão e Copa do Brasil em 2009) e pelo Cruzeiro (Copa do Brasil em 2017 e 2018 e Campeonato Mineiro (2018 e 2019)).

Marcelo Oliveira | *Nome*: Marcelo de Oliveira Santos
Data e Local de Nascimento: 04.03.1955, em Pedro Leopoldo/MG

Às vezes, a história de um ex-jogador como treinador é facilitada pelo currículo que ele obteve enquanto defendia as cores do clube dentro de campo, pois algumas portas se abrem com mais facilidade. E foi exatamente isso o que aconteceu com Marcelo Oliveira.

Ex-ídolo do Atlético Mineiro, foi nas categorias de base do Galo que deu início à sua trajetória como comandante. Mas chega uma hora em que é preciso alçar voos solos e, assim, em 2009, ele deixou o clube.

Desde então, dirigiu várias equipes brasileiras, tendo se destacado no Coritiba (bicampeão paranaense — 2011 e 2012) e onde entrou para o *Guinness Book*, o livro dos recordes mundiais, ao vencer 24 partidas seguidas. Foi também no Coxa que chegou a duas finais de Copa do Brasil nessas mesmas temporadas, mas perdeu ambas — para o Vasco da Gama e para o Palmeiras, respectivamente.

Seu desempenho chamou a atenção — vejam só! — daquele que fora seu maior rival nos tempos de jogador, o Cruzeiro. Sob seu comando, a Raposa faturou o bicampeonato brasileiro (2013 e 2014) e o título mineiro de 2014. Além disso, foi também vice da Copa do Brasil daquele ano. Não por acaso, foi eleito o melhor técnico do país nas duas temporadas.

O próximo desafio de Marcelo Oliveira foi assumir o Palmeiras, e não se pode dizer que decepcionou. Em 2015, a equipe paulista faturou a Copa do Brasil.

Mário Travaglini | *Nome*: Mário Travaglini
Data e Local de Nascimento: 30.04.1932, em São Paulo/SP
Data e Local de Falecimento: 20.02.2014, em São Paulo/SP

Pode um técnico ser ídolo de duas das torcidas que nutrem entre si uma das maiores rivalidades do futebol brasileiro? Foi isso o que aconteceu com Mário Travaglini, que começou sua trajetória como treinador no Palmeiras e entrou para a história, anos mais tarde, do Corinthians.

No Verdão, ele foi um dos que deram início à chamada "Primeira Academia", time que contava com craques como Djalma Santos, Dudu, Ademir da Guia, Julinho e Servílio, entre outros. No Timão, foi o grande comandante da "Democracia Corintiana", movimento liderado por Sócrates, Casagrande e Wladimir, que adotou um sistema com maior participação dos atletas nas decisões ligadas à equipe. Em termos de conquistas, Travaglini faturou os títulos do Paulistão de 1966 e do Brasileirão de 1967 pelo alviverde, e do Campeonato Paulista de 1982 pelo alvinegro.

Mas não foi somente em São Paulo que o treinador teve seu talento reconhecido. Nos anos 70, mudou-se para o Rio de Janeiro e, no futebol carioca, também entrou para a história de dois rivais. No Vasco da Gama, sagrou-se campeão brasileiro em 1974 e, pelo Fluminense, levantou a taça do Campeonato Carioca de 1976.

Vale lembrar que ele ganhou, também, a medalha de ouro nos Jogos Pan-Americanos de 1979, em Porto Rico, dirigindo a Seleção Brasileira.

Muricy Ramalho | *Nome*: Muricy Ramalho
Data e Local de Nascimento: 30.11.1955, em São Paulo/SP

Ninguém poderia imaginar o sucesso que Muricy Ramalho faria como treinador, talvez nem ele mesmo. Ainda que tenha trabalhado com afinco e seguido todas as etapas inerentes à formação de um grande profissional, a quantidade de títulos que ganhou e o prestígio de que passou a desfrutar assim que abraçou a nova função superaram em muito o que obtivera como jogador, e olha que dentro das quatro linhas ele fora reconhecidamente um ótimo profissional.

Mas a sorte, como dizem alguns, está sempre ao lado de quem trabalha (e seu lema sempre foi "aqui é trabalho, meu filho!"), e ela entrou em campo quando ele passou a trabalhar ao lado de Telê Santana. Durante anos, Muricy pôde absorver tudo o que tinha a oferecer um dos melhores técnicos da história do futebol e, na condição de seu auxiliar imediato, inseriu em sua plataforma de ação muitos dos ensinamentos que aprendeu com o mestre.

Daí que seu quase instantâneo sucesso à beira do campo foi apenas uma consequência da junção do trabalho — palavra que se repete aqui não por falta de vocabulário —, com a oportunidade de colocá-lo em prática. O resultado: uma enorme quantidade de títulos de destaque, que começou no Náutico, pelo qual foi bicampeão pernambucano (2001 e 2002), passou pelo São Caetano (campeão paulista em 2004), Internacional (campeão gaúcho em 2003 e 2005) e, principalmente, São Paulo, clube que defendeu por anos como atleta e o qual comandou nas vitoriosas campanhas de três Brasileirões seguidos: 2006, 2007 e 2008.

Sua permanência no Morumbi parecia fadada à eternidade, mas ele queria provar a todos que poderia se destacar novamente também longe de casa. E provou: ganhou mais um Campeonato Brasileiro (pelo Fluminense, em 2010), outros dois Paulistões (pelo Santos, em 2011 e 2012) e, também, aquela que foi a maior conquista de toda a sua carreira profissional: a Libertadores da América, pelo Peixe, em 2011.

Um outro ponto marcante de sua trajetória no futebol foi ter recusado um convite para ser técnico da Seleção Brasileira, em 2010. Na oportunidade, Muricy alegou não ter "sentido firmeza" na postura do então presidente da CBF, Ricardo Teixeira, e por isso ele preferiu ficar nas Laranjeiras. Mas o real motivo da recusa foi o fato de não ter recebido a garantia de que, independentemente dos resultados que obtivesse, seria o treinador do Brasil na Copa do Mundo de 2014.

Oswaldo Brandão | *Nome*: Oswaldo Brandão
Data e Local de Nascimento: 18.09.1916, em Taquara/RS
Data e Local de Falecimento: 29.08.1989, em São Paulo/SP

Treinador que entrou para a história de dois dos maiores rivais do futebol brasileiro. Assim pode ser definido Oswaldo Brandão, apontado por grande parte da imprensa e também por torcedores como o mais importante técnico do Palmeiras e do Corinthians em todos os tempos.

Devido a uma grave contusão no joelho, iniciou sua carreira à beira do gramado muito jovem, com apenas 31 anos. À frente do Verdão, logo de cara faturou seu primeiro título relevante: o do Campeonato Paulista de 1947. Pouco depois foi para o Parque São Jorge, onde também fez sucesso ao ganhar em 1953 e 1954 o bicampeonato do Torneio Rio-São Paulo e o Paulistão de 1954.

Sua passagem seguinte pelo Palmeiras também seria marcante: campeão paulista de 1959, vencendo o Santos de Pelé após três jogos tão inesquecíveis que ficaram conhecidos como "Supercampeonato", e campeão brasileiro de 1960. Nada, porém, superaria o trabalho que faria no Palestra Itália na primeira metade dos anos 70, quando foi o grande comandante da "Segunda Academia" na conquista de dois títulos paulistas (1972 e 1974) e dois brasileiros (1972 e 1973). O "Velho Mestre", como era chamado, sentia porém que devia algo ao Timão e, por isso, aceitou o desafio de dirigir a equipe em 1977. À época quase 23 anos sem ser campeão, o alvinegro venceu aquele Paulistão e sua torcida fez a maior festa que até então já se vira.

Importante frisar que Brandão também treinou a Seleção Brasileira em décadas distintas. Na primeira, entre novembro de 1955 e fevereiro de 1956, dirigiu um time formado exclusivamente por jogadores que atuavam no futebol paulista e foi vice-campeão da Copa América. Quase 20 anos depois, logo após brilhar no Palmeiras, aceitou o convite para suceder Zagallo depois da perda da Copa da Alemanha. Mas não durou muito tempo: mesmo vencendo o Torneio Bicentenário dos Estados Unidos, em 1976, foi demitido depois de um empate sem gols com a Colômbia, em Bogotá, já durante as Eliminatórias para o Mundial da Argentina, no ano seguinte.

Paulo Autuori | *Nome*: Paulo Autuori de Mello
Data e Local de Nascimento: 25.08.1956, no Rio de Janeiro/RJ

Fala mansa, português perfeito, postura diga de um "gentleman" e, na opinião de muitos dos jogadores que dirigiu, um profundo conhecedor do futebol em todas as suas essências.

Assim pode ser definido Paulo Autuori que, no entanto, garante um lugar neste capítulo pela grande quantidade de títulos expressivos que angariou.

Na verdade, a primeira vez em que *de fato* se ouviu falar de Autuori foi quando assumiu o Botafogo, em 1995. Inicialmente, a desconfiança da torcida foi o principal assunto por parte da mídia. Mas não demorou muito para que ele mostrasse a que viria: montando uma equipe sólida defensivamente, mas que soube aproveitar de forma total a excelente fase do centroavante Túlio Maravilha, Autuori levou o time da Estrela Solitária àquele que, até hoje, é o seu único título brasileiro.

Dois anos mais tarde, a trajetória vencedora mudou de cidade e desembarcou em Belo Horizonte, onde fez o Cruzeiro ser campeão mineiro e, principalmente, da Copa Libertadores da América. O sucesso seguinte viria no Peru, onde foi campeão no comando das duas principais equipes do país, o Alianza e o Sporting Cristal, resultados que o levaram a ser o treinador da seleção peruana.

De volta ao Brasil, viveu no São Paulo o ápice de sua carreira, faturando as taças da Libertadores e do Mundial Interclubes em 2005.

Paulo César Carpegiani | *Nome*: Paulo César Carpegiani
Data e Local de Nascimento: 07.02.1949, em Erechim/RS

Nada melhor para um jogador que poder encerrar sua carreira em um clube do qual se tornou ídolo.

Foi exatamente isso o que aconteceu com Carpegiani. Após brilhar no Internacional, consolidou no Flamengo seu futebol de forte marcação mas também de muita habilidade e excelente saída de jogo. Porém, mesmo com apenas 32 anos, resolveu pendurar as chuteiras e, como prêmio, recebeu o convite para substituir Dino Sani no comando do Mengão. Aceitou e, melhor ainda, não decepcionou.

Comandando uma equipe que, mesmo perdendo um de seus grandes talentos — ele próprio —, contava com nomes como Leandro, Júnior, Andrade, Adílio, Zico etc., levou o Rubro-Negro às duas mais importantes conquistas de toda a sua história: a Libertadores da América e o Mundial Interclubes, ambas em 1981. De quebra, fez do time o campeão brasileiro de 1982.

Além destas, vale lembrar também a vitoriosa passagem que teve pelo futebol paraguaio, onde conquistou duas vezes o campeonato nacional com o Cerro Porteño e dirigiu a seleção local na Copa do Mundo de 1998.

Renato Gaúcho | *Nome*: Renato Portaluppi
Data e Local de Nascimento: 09.09.1962, em Guaporé/RS

Quando anunciou que decidira se tornar treinador, Renato Gaúcho causou risos no mundo do futebol. E não sem motivo: afinal, como imaginar no comando de uma equipe alguém que, enquanto jogador, fora uma das mais polêmicas figuras da história da bola nacional? Mesmo craque, o ex-ponta-direita jamais havia sido um exemplo de atleta, tendo colecionado inúmeros casos de indisciplina em sua carreira, principalmente, como reconhecem os boleiros, por ser "marrento".

Mas Renato, aliás como sempre fizera dentro de campo, surpreendeu fora dele. Teve a humildade de começar, em 2000, no pequeno Madureira, e lá no Tricolor Suburbano aprender os primeiros passos da nova profissão. Da Zona Norte carioca decolou, dois anos mais tarde, para dirigir o primeiro grande clube da carreira, aliás, outro tricolor, o das Laranjeiras. O Fluzão é o clube onde mais trabalhou até hoje, tendo assumido seu comando em cinco oportunidades. Não à toa, lá também ganhou sua primeira taça, a da Copa do Brasil de 2007, e sagrou-se vice-campeão da Libertadores do ano seguinte.

Foi num terceiro tricolor, porém, que se consolidou como um dos grandes técnicos do país. No mesmo Grêmio, do qual é o maior ídolo da história, já faturou seis títulos: Copa do Brasil (2016), Copa Libertadores (2017), Recopa Sul-Americana (2018) e o tri do Gauchão (2018, 2019 e 2020) —, além de outros três vice-campeonatos também elogiáveis: Brasileirão (2013), Mundial Interclubes (2017) e Copa do Brasil (2020).

Nunca escondeu o sonho de assumir a Seleção Brasileira e, a cada dia que passa, imprensa e torcedores sentem que é só uma questão de tempo. Agora, quando se fala no "treinador" Renato Gaúcho, ninguém mais ri.

Rubens Minelli | *Nome*: Rubens Francisco Minelli
Data e Local de Nascimento: 19.12.1928, em São Paulo/SP

"Seleção Brasileira não é algo sério."

Essa frase, sem dúvida alguma, é a mais emblemática dita por Rubens Minelli em toda a sua longa e vitoriosa carreira. E, o que é muito mais importante, na época — e talvez ainda mais hoje em dia —, totalmente verdadeira.

Ela foi proferida logo após Cláudio Coutinho ter sido escolhido para dirigir o Brasil, em fevereiro de 1977. Naquela oportunidade, todos apontavam que o então bicampeão brasileiro com o Internacional seria o substituto de Oswaldo Brandão, mas a forte pressão da imprensa carioca impediu que um treinador paulista e que jamais havia trabalhado no futebol do Rio de Janeiro tivesse a chance que tanto merecia.

De fato, Minelli foi um dos mais completos treinadores da história do futebol brasileiro, tendo trabalhado em dezenas de clubes e obtido títulos expressivos em vários deles. Os mais importantes, além do bi do Brasileirão em 1975 e 1976, quando revelou ao mundo craques como Figueroa, Falcão e Carpegiani, foram mais um título nacional, com o São Paulo (e logo em 1977; ou seja: seu tricampeonato!), e o do Torneio Roberto Gomes Pedrosa (1969) pelo Palmeiras. E como o Robertão, hoje, é considerado Campeonato Brasileiro, sobe para quatro o número de títulos desta competição obtidos por Minelli.

Em seu currículo, vale ressaltar, constam também quatro títulos gaúchos (três pelo Inter — 1974, 1975 e 1976 — e um pelo Grêmio — 1985) e dois paranaenses (1994 e 1997, ambos pelo Paraná Clube).

Telê Santana | *Nome*: Telê Santana da Silva
Data e Local de Nascimento: 26.07.1931, em Itabirito/MG
Data e Local de Falecimento: 21.04.2006, em Belo Horizonte/MG

Treinador mais de ideais do que de ideias e adepto de um futebol minimamente faltoso e extremamente ofensivo, Telê Santana (ou "O Mestre", como ficou conhecido) encantou o mundo com as equipes que dirigiu e, principalmente, com a Seleção Brasileira de 1982.

Embora mineiro, começou a carreira fora dos gramados no futebol carioca. Foi pelo Fluminense, clube em que mais se destacou como ponta-direita, que ganhou seu primeiro título — o Campeonato Carioca de 1969. Dois anos mais tarde, levou o Atlético Mineiro àquele que, até hoje, é o único Brasileirão de sua história.

Mas o legado que deixaria ao futebol começaria, de fato, em 1979, e curiosamente sem que nenhum título fosse obtido. No comando do Palmeiras, montou uma equipe que encantou o país devido à facilidade com que vencia e goleava os adversários, mas que desde sempre também apresentava alguns problemas defensivos. E foram estes que impediram o Verdão de ser campeão sob seu comando.

Mesmo sem um título, foi convidado no início de 1980 a assumir o comando do Brasil, com a orientação de fazer a equipe voltar a jogar o futebol que a havia tornado tricampeã mundial. Foi o que ele fez: aproveitando-se, talvez, da mais farta safra de craques que nosso país já viu (a equipe tinha nomes como Leandro, Oscar, Júnior, Falcão, Toninho Cerezo, Sócrates, Zico e Reinaldo, entre outros), ele deixou atônitos todos os adversários durante a Copa do Mundo da Espanha. Ou melhor: quase todos. Um deles, a Itália, conseguiu aproveitar as brechas de marcação deixadas pelo esquema de Telê (que, como à época lhe era comum, mostrou excesso de confiança em relação à sua equipe) e, no maior pecado que os deuses do futebol já cometeram, eliminou o Brasil antes mesmo das semifinais.

Quatro anos depois, teve mais uma chance à frente da Canarinho, sendo escolhido para ser o técnico no Mundial do México. Contudo, optou por levar a mesma base de 1982 e...

O treinador, porém, ainda viria a dar a volta por cima. E ela aconteceu no São Paulo, a partir de 1992. No clube do Morumbi, mais experiente e, principalmente, mais ciente de que a defesa também é parte inerente e vital ao futebol, reforçou a marcação da equipe, sobretudo com a escalação de um primeiro volante essencialmente marcador, o que antigamente era conhecido como "cabeça-de-área".

Era o que faltava para a sua consagração. No Tricolor Paulista, Telê faturou os títulos estaduais de 1991 e 1992, o Brasileirão de 1991 e, sobretudo, o bicampeonato da Libertadores e do Mundial Interclubes, em 1992 e 1993. De quebra, faturou também a Supercopa da Libertadores em 1993 e as Recopas Sul-Americanas de 1993 e 1994. E se tudo isso já não fosse muito, foi eleito o melhor técnico da América do Sul em 1992 e do mundo em 1992 e 1993.

Tite | *Nome*: Adenor Leonardo Bachi
Data e Local de Nascimento: 25.05.1961, em Caxias do Sul/RS

Meritocracia.

Palavra que passou a fazer parte do vocabulário do futebol brasileiro desde que Tite atingiu o patamar de treinador de ponta, a partir de 2011, quando foi o condutor de uma das mais profícuas fases vividas pelo Timão. Mas a verdade é que sua trajetória começou muito antes, no interior do Rio Grande do Sul, estado onde nasceu e passou a atrair holofotes.

Em 2000, consegue a façanha de levar o Caxias ao título estadual diante do Grêmio. Não à toa, é contratado para dirigir o Tricolor Gaúcho em 2001, e não decepciona: fatura as taças do Gauchão e da Copa do Brasil. Após passagens sem grandes êxitos pelo futebol paulista, mineiro e até do Oriente Médio, retorna aos Pampas para dirigir o Inter e, mais uma vez, faz sucesso, sagrando-se campeão estadual em 2008 e da Copa Sul-Americana em 2009.

Mas seria no Parque São Jorge que viveria a melhor fase de sua carreira. Em duas passagens (por decisão própria não trabalhou em 2014), leva o Corinthians à conquista de nada menos do que seis títulos expressivos: Brasileirão (2011), Libertadores (2012), Mundial Interclubes (2012), Recopa Sul-Americana (2013), Paulistão (2013) e Brasileirão (2015).

Com tamanho currículo, é convidado para assumir a Seleção Brasileira, que vivia um mau momento nas Eliminatórias para a Copa do Mundo da Rússia. E sua performance à frente da Amarelinha é excepcional: 10 vitórias em 12 jogos e classificação antecipada ao Mundial de 2018.

Como sempre acontece, o Brasil chegou à disputa como um de seus principais favoritos, mas então o trabalho de Tite não surtiu o mesmo efeito e os resultados foram bem piores do que se esperava. Uma boa campanha na fase de grupos, uma passagem sem grandes sustos sobre o México nas oitavas e a derrota por 2 x 1 para a Bélgica, na etapa seguinte, não permitiram que os pentacampeões do mundo chegassem nem mesmo às semifinais. Apesar do fracasso, a CBF decide renovar o seu contrato para a Copa do Mundo de 2022.

Acho que nem é preciso lembrar o quão equivocada foi tal decisão.

Vanderlei Luxemburgo | *Nome*: Vanderlei Luxemburgo da Silva
Data e Local de Nascimento: 10.05.1952, em Nova Iguaçu/RJ

Trata-se do melhor treinador da história do futebol brasileiro.

Tal frase não expressa, necessariamente, a opinião deste escritor e jornalista, mas sim a de muitos outros profissionais de diversas funções ligados ao futebol e também de grande parte dos torcedores. E não é sem motivo: no que diz respeito a conhecimentos táticos, de fato ele sempre esteve muito à frente dos demais colegas de profissão.

Adepto da tecnologia desde que iniciou a carreira em pequenas equipes fluminenses e, também, quando ganhou seu primeiro título (campeão capixaba pelo Rio Branco, em 1983), o "Pofexô", como ironicamente é chamado por muitos devido à sua forma peculiar de falar, ou apenas Luxa, como ele próprio prefere ser tratado, inovou em conceitos, em formas de treinamentos e na adoção de esquemas táticos que sempre priorizaram o ataque. E é mais do que certo que todo o sucesso que fez e todos os inúmeros títulos que ganhou foram decorrentes dessa filosofia de trabalho.

Por falar nas conquistas, as mais significativas foram obtidas em grandes equipes brasileiras. Porém, também chamaram muita atenção as do Brasileirão da Série B de 1989 e do Paulistão de 1990 pelo até então desconhecido Bragantino. Foi a partir do sucesso que fez no interior paulista que o país descobriu que um discreto ex-lateral-esquerdo de Flamengo, Botafogo e Inter chegava para escrever seu nome entre os maiores técnicos do Brasil.

Para se ter uma ideia do quanto Luxemburgo já faturou, basta dar uma estudada básica, *tá xêrto*, em sua trajetória profissional: um título carioca (Flamengo, em 1996), nove paulistas (Bragantino, em 1990; Palmeiras, em 1993, 1994, 1996 — a melhor campanha de uma equipe na era profissional, com 27 vitórias e 102 gols marcados em 30 partidas —, 2008 e 2020; Santos, em 2006 e 2007; e Corinthians, em 2001), cinco brasileiros (Palmeiras, em 1993 e 1994; Corinthians, em 1998; Cruzeiro, em 2003; e Santos, em 2004), uma Copa do Brasil (Cruzeiro, em 2003), dois Torneios Rio-São Paulo (Palmeiras, em 1993, e Santos, em 1997); dois mineiros (Cruzeiro, em 2003, e Atlético, em 2010) e um pernambucano (Sport, em 2017).

Tanto sucesso o levou à Seleção Brasileira, a qual dirigiu entre 1998 e 2000, faturou a Copa América de 1999, mas acabou demitido após ser eliminado por Camarões nas quartas de final dos Jogos Olímpicos de Sidney. Outra passagem importante, porém sem o mesmo brilho, aconteceu em 2005, quando ele foi escolhido para ser o comandante do galáctico time do Real Madrid.

Vicente Feola | *Nome:* Vicente Ítalo Feola
Data e Local de Nascimento: 01.11.1909, em São Paulo/SP
Data e Local de Falecimento: 06.11.1975, em São Paulo/SP

Se fôssemos nos basear apenas na quantidade de títulos conquistados, Vicente Feola nem de longe seria um dos treinadores mais importantes da história do futebol brasileiro. Afinal, durante toda a sua carreira, foram apenas três as taças que conquistou e somente dois os clubes que dirigiu — o São Paulo e o argentino Boca Juniors.

Ocorre, porém, que dentre as três vezes em que se sagrou campeão, uma delas foi no comando da Seleção Brasileira que, em 1958, conquistou a primeira das cinco Copas do Mundo que já obteve. É bem verdade que, já durante a competição, ele foi "convencido" por alguns jogadores a sacar do time o meia Dida, o ponta-direita Joel e o centroavante Mazzola, e colocar em seus lugares Pelé, Garrincha e Vavá, alterações estas consideradas fundamentais para que o título viesse. Mas, de qualquer forma, fora ele quem convocara os jogadores e, claro, ele que aceitara as "sugestões" dos demais atletas.

Após o título, deixou o Selecionado Nacional e assumiu o comando do Tricolor Paulista, pelo qual fora bicampeão estadual em 1948 e 1949. Às vésperas do Mundial do Chile, aceitou um novo convite da CBD e chegou até a iniciar o planejamento para a Copa de 1962. Porém, já com problemas cardíacos, não pôde assumir o cargo e foi substituído por Aymoré Moreira.

Quatro anos mais tarde, com a saúde um pouco melhor, comandou a Seleção Brasileira que foi à Inglaterra, mas, pressionado por vários dirigentes de clubes, convocou 47 jogadores para a fase de preparação. Com isso, foi obrigado a cortar 25 atletas antes de definir a lista final, o que criou um clima péssimo. O resultado foi um fracasso retumbante, já que o Brasil foi eliminado ainda na primeira fase da competição.

Zagallo | *Nome*: Mário Jorge Lobo Zagallo
Data e Local de Nascimento: 09.08.1931, em Atalaia/AL

"Vocês vão ter que me engolir!"

Não resta dúvida: a frase acima eternizará este que é o mais supersticioso treinador na história do futebol brasileiro e mundial (adora o número 13 e passou a vida buscando coincidências que explicassem a sorte que estes dois dígitos sempre lhe deram). Dita após a conquista da Copa América de 1997, ela foi uma resposta a todos que o criticavam devido ao rendimento apenas regular da Seleção Brasileira até então.

De fato, o "Velho Lobo" tem um histórico que dispensa maiores explicações. De forma bem simples, mas paradoxalmente também muito verdadeira, basta dizer que Zagallo é um dos únicos três personagens do futebol a ter ganhado Copas do Mundo como atleta e também treinador — os outros são o alemão Franz Beckenbauer e o francês Didier Deschamps. Mas o brasileiro tem um algo a mais que seus dois companheiros de glória: além das conquistas como jogador, em 1958 e 1962, e como técnico, em 1970, ganhou mais um Mundial — em 1994, nos Estados Unidos — em uma outra função (coordenador técnico), fato que o isola como o maior campeão da história das Copas do Mundo.

Além destes títulos, faturou também, entre outros, cinco Campeonatos Cariocas (Botafogo, em 1967 e 1968; Fluminense, em 1971; e Flamengo, em 1972 e 2001), um Brasileirão (Botafogo, em 1968), além de duas Copas das Confederações (1997 e 2005)* e duas Copas América (1997 e 2004)* pela Seleção Brasileira, a qual sempre tratou com amor e dedicação elogiáveis.

---

*Ambos como coordenador técnico.

CAPÍTULO DEZESSETE

Os Maiores Craques Estrangeiros de Todos os Tempos

Baggio | *Nome*: Roberto Baggio
Data e Local de Nascimento: 18.02.1967, em Caldogno/ITA

Embora fosse hábil o suficiente para atuar em todas as posições do ataque, Baggio se firmou principalmente como centroavante, função que desempenhou com muito sucesso durante toda a carreira. Uma boa prova disso foi ter sido eleito, em 1993, o melhor jogador do mundo pela FIFA.

Mas foi no ano seguinte que ele atingiu o ápice de sua carreira, sendo o principal destaque da Squadra Azzurra, que se sagrou vice-campeã mundial nos Estados Unidos. Na final daquela Copa do Mundo, é verdade, perdeu o pênalti decisivo que garantiu ao Brasil a conquista do seu tetracampeonato mundial, mas poucos sabem que naquela partida ele atuou contundido.

Banks | *Nome*: Gordon Banks
Data e Local de Nascimento: 30.12.1937, em Sheffield/ING
Data e Local de Falecimento: 12.02.2019, em Stoke-on-Trent/ING

Eleito seis vezes pela FIFA como o melhor goleiro do planeta, Banks entrou para a história por ter praticado a maior defesa de todas as Copas do Mundo, após uma cabeçada certeira de Pelé na vitória do Brasil por 1 x 0 no estádio Jalisco, em Guadalajara, no México, em 1970.

Contudo, foi justamente no Mundial anterior, realizado em seu país, que viveu o melhor momento de sua carreira, sagrando-se campeão após a vitória sobre a Alemanha.

Historiadores do futebol o apontam como o segundo melhor goleiro de toda a história, sendo superado apenas pelo russo Lev Yashin.

Baresi | *Nome*: Franchino Baresi
Data e Local de Nascimento: 08.03.1960, em Travagliato/ITA

O que se pode dizer de um jogador que atuou durante 20 anos em uma única equipe — o Milan/ITA, em 719 partidas —, foi seu capitão durante 15 anos e faturou, entre outros títulos, três Supercopas Europeias, seis Campeonatos Italianos, quatro Supercopas da Itália, três Champions League e dois Mundiais Interclubes? Isso sem que falemos, claro, da Copa do Mundo de 1982.

Pode-se dizer, *apenas*, que Franco Baresi foi um dos melhores zagueiros de todos os tempos e que, justamente por isso, aparece com toda a justiça neste espaço.

Batistuta | *Nome*: Gabriel Omar Batistuta
Data e Local de Nascimento: 01.02.1969, em Avellaneda/ARG

Quando um atacante consegue aglutinar a seu nome a palavra "gol" é porque certamente não é um atacante qualquer, mas sim um atacante com "A" maiúsculo.

E este é o caso do centroavante Batistuta, ou melhor, "Batigol". Oriundo das categorias de base do Newell's Old Boys/ARG, ganhou projeção nacional no River Plate/ARG, mas jogou por mais tempo na Fiorentina/ITA, clube pelo qual marcou a maior parte dos seus 152 gols na Série A italiana. Após sete anos, transferiu-se para a Roma/ITA, e por este clube levou o Scudetto pela primeira vez.

Disputou três Copas do Mundo pela Argentina, da qual é o segundo maior artilheiro de todos os tempos, com 54 gols em 77 partidas.

Beckenbauer | *Nome*: Franz Anton Beckenbauer
Data e Local de Nascimento: 11.09.1945, em Munique/ALE

Estilo de jogo elegante, domínio absoluto de todas as ações no gramado e um líder nato, Beckenbauer não é conhecido à toa como "Kaiser" (Imperador, em alemão). Iniciou sua carreira atuando no meio-campo, mas foi como zagueiro — ou mais especificamente como líbero — que conseguiu eternizar seu nome na história do futebol.

Após brilhar no Bayern, time de sua cidade natal, disputar três Copas do Mundo e se sagrar campeão em 1974, transferiu-se para o então incipiente futebol norte-americano na segunda metade da década de 70, onde atuou ao lado de Pelé no New York Cosmos. Assim que encerrou a carreira dentro do campo, iniciou a de técnico e, em 1990, levou o selecionado de seu país ao título da Copa do Mundo.

Assim, é hoje um dos únicos três personagens a terem vencido um Mundial tanto como jogador quanto como treinador — os outros são o brasileiro Zagallo e o francês Didier Deschamps.

Bobby Charlton | *Nome*: Robert Charlton
Data e Local de Nascimento: 11.10.1937, em Ashington/ING

Bobby Charlton tem méritos de sobra para estar entre os mais importantes jogadores de futebol de todos os tempos, mas tinha tudo para sequer ser lembrado até mesmo por seus compatriotas. Explicando: em 1958, ele voltava da Alemanha após disputar uma partida pelo Manchester United/ING quando o avião da delegação inglesa, com 37 pessoas a bordo, caiu nos arredores da cidade de Munique, no sul da Alemanha — ao lado de outras cinco pessoas, ele foi um dos sobreviventes.

Talvez a tragédia e o fato de ter perdido oito companheiros de equipe tenham dado a este excelente meio-campista inglês ainda mais força para trilhar por um caminho de sucesso. Disputando quatro Copas do Mundo pelo "English Team", faturou o título em 1966, sendo até hoje reverenciado como um dos principais destaques daquele time.

Bobby Moore | *Nome*: Robert Frederick Chelsea Moore
Data e Local de Nascimento: 12.04.1941, em Londres/ING
Data e Local de Falecimento: 24.02.1993, em Londres/ING

Capitão da seleção inglesa que ganhou a Copa do Mundo de 1966.

O melhor zagueiro que Pelé viu jogar, segundo o próprio Rei do Futebol.

Imortalizado com uma estátua à frente do estádio de Wembley, em Londres.

Apenas essas três afirmações já seriam mais do que suficientes para fazer com que Bobby Moore constasse neste seleto rol, mas ele foi muito mais do que isso. Zagueiro que tinha como principal característica a visão de jogo e a consequente antecipação das jogadas, jogou 16 anos e mais de 600 partidas pelo West Ham/ING, tornando-se o maior jogador desta equipe em todos os tempos.

Buffon | *Nome*: Gianluigi Buffon
Data e Local de Nascimento: 28.01.1978, em Carrara/ITA

Se vencer um campeonato por uma equipe de ponta não é missão das mais fáceis, imagine então ganhar não um, mas três títulos por um time considerado mediano. Porém, jogadores diferenciados geralmente conseguem tal feito, e foi isso que Buffon obteve logo no início da carreira: defendendo o Parma, faturou a Copa da Itália, a Supercopa Italiana e a Copa da UEFA, todas em 1999, quando tinha apenas 21 anos.

Com cinco Copas do Mundo em seu currículo, e campeão na de 2006, este goleiro é o jogador que mais vezes vestiu a camisa da Azzurra, com 176 partidas.

Eleito cinco vezes o melhor camisa 1 da Europa, enfim conseguiu ser considerado também o melhor goleiro do mundo pela FIFA, em 2017.

Cannavaro | *Nome*: Fabio Cannavaro
Data e Local de Nascimento: 13.09.1973, em Nápoles/ITA

O gol é a essência do futebol e, por isso, obviamente ganham muito mais destaque aqueles que fazem dele a marca principal de suas carreiras. Não por acaso, desde que a FIFA instituiu o prêmio de melhor jogador do planeta, em 1991, todos os seus vencedores foram atacantes ou, no máximo, meias.

Ou melhor: quase todos. Na verdade, a seleta relação dos principais atletas do planeta aponta a presença do zagueiro — isso mesmo, um zagueiro! — Cannavaro. Também, pudera: foi ele o capitão da Itália durante a Copa do Mundo de 2006, e portanto coube a ele a honra de levantar a taça referente ao tetracampeonato mundial de seu país.

Em março de 2019, aceitou o convite para ser o técnico da seleção chinesa.

Cristiano Ronaldo | *Nome*: Cristiano Ronaldo dos Santos Aveiro
Data e Local de Nascimento: 05.02.1985, em Funchal/POR

Desde que a primeira bola de futebol foi chutada em terras portuguesas, jamais alguém ousou discordar de que Eusébio foi o maior craque dos relvados lusitanos. Isso até que Cristiano Ronaldo começasse, ele próprio, a dar seus primeiros chutes e cabeçadas. Rapidamente, percebeu-se que o craque nascido na Ilha da Madeira perderia tal status, mais cedo ou mais tarde (ou talvez bem mais cedo do que se pensasse).

Ainda desfilando seu talento pelos estádios do mundo, este atacante que começou no Sporting/POR e defendeu Manchester United/ING, Real Madrid/ESP e Juventus/ITA tem em seu currículo nada menos do que 34 títulos, entre nacionais e internacionais, e já superou a marca de 800 gols como profissional. Segundo a FIFA, foi o melhor jogador do mundo em nada menos do que cinco oportunidades: 2008, 2013, 2014, 2016 e 2017.

Em julho de 2018, CR7 foi contratado pelos italianos da Juventus por cerca de 100 milhões de euros. Ah, sim: e, em 2015, foi eleito pela Federação Portuguesa de Futebol o melhor jogador do país em todos os tempos.

Cruyff | *Nome*: Hendrik Johannes Cruijff
Data e Local de Nascimento: 25.04.1947, em Amsterdã/HOL
Data e Local de Falecimento: 24.03.2016, em Barcelona/ESP

Amsterdã, 1960. Uma senhora, já viúva, carrega pela mão o filho, que caminha com muita dificuldade. Nasceu o garoto com uma malformação nos dois pés e, franzino, mal se aguentava em pé se não tivesse amparo. Os aparelhos ortopédicos que usara até os 10 anos amenizaram o problema, mas então, já em fase de crescimento, se faziam novamente necessários.

Porém, como comprar novos aparelhos? A pobre mãe do garoto não tinha como. Foi então que aquela senhora holandesa teve uma ideia que, na época, lhe era mesmo a única solução: como faxineira do clube mais importante da Holanda, poderia pedir para que os médicos, gentilmente, ajudassem seu filho.

À porta do Ajax, ele parou, estático e assombrado com a grandiosidade do gigante à sua frente.

Já no DM, um médico olha para o pé direito do menino, depois para o esquerdo, e meio desanimado diz que a única maneira de diminuir o problema seria uma série de exercícios, sobretudo com bola.

Sem ter outra alternativa, o garoto calçou um par de chuteiras velhas e foi para o campo chutar bola com os juvenis do clube, conforme indicara o doutor. E, como que em um encanto, começou a gostar, a perder a timidez, a dominar, lançar, tocar e finalizar cada vez melhor.

Três anos depois, aos 16, já assinou seu primeiro contrato profissional. Aos 19, estreou na seleção da Holanda. Aos 27, comandou seu país na inesquecível Copa do Mundo da Alemanha e no fantástico Carrossel Holandês. Durante toda a carreira, ganhou 21 títulos e está entre os 10 melhores jogadores de toda a história do futebol, segundo a FIFA.

Di Stéfano | *Nome*: Alfredo Stéfano di Stéfano Laulhé
Data e Local de Nascimento: 04.07.1926, em Buenos Aires/ARG
Data e Local de Falecimento: 07.07.2014, em Madri/ESP

Um craque absoluto, completo e inquestionável.

Com esta frase simples pode ser definido Di Stéfano. Na opinião dos sortudos que tiveram a chance de vê-lo em campo, um jogador que superou, para alguns, até mesmo Pelé. Argentino de nascimento, defendeu a seleção do seu país, mas não se limitou a ela: em uma época em que as restrições eram bem maiores do que as de hoje, atuou também no selecionado da Colômbia e, principalmente, da Espanha, local onde viveu os melhores e mais vitoriosos anos de sua carreira vestindo a camisa do Real Madrid.

O "Saeta Rubia" (flecha loira, em espanhol), conforme foi apelidado enquanto tinha cabelos, ganhou nada menos do que cinco Copas dos Campeões da Europa seguidas pelos "Merengues", tornando-se um dos maiores — e para muitos o maior — ídolos da história do clube madrilenho.

Eto'o | *Nome*: Samuel Eto'o Fils
Data e Local de Nascimento: 10.03.1981, em Duala/CAM

Quatro Copas do Mundo, seis Copas Africanas de Seleções (das quais faturou duas), uma Olimpíada (medalha de ouro em Sidney) e diversas "Orelhudas" (Champions League), sendo bicampeão pelo Barcelona/ESP e campeão pela Internazionale/ITA.

Com um currículo desse porte, não causa espanto algum que o centroavante Eto'o seja considerado o mais importante jogador de Camarões e um dos melhores jogadores africanos de todos os tempos.

O sucesso que fez defendendo a camisa de seu país e também dos clubes em que jogou corroboram para que ele atinja tal patamar.

Eusébio | *Nome*: Eusébio da Silva Ferreira
Data e Local de Nascimento: 25.01.1942, em Maputo/MOÇ
Data e Local de Falecimento: 05.01.2014, em Lisboa/POR

"Não digo que fui melhor do que Pelé, mas também não vou dizer que Pelé foi melhor do que eu. Para ele, as coisas foram mais simples, pois jogou quase que a totalidade de sua carreira no país onde nasceu. No meu caso, tive de atravessar o oceano ainda adolescente para poder vencer no futebol."

A frase acima foi dita certa vez por este grande craque moçambicano que, no entanto, ganhou merecidos fama e destaque defendendo duas camisolas encarnadas em Portugal — a do Benfica, claro, e a da seleção portuguesa. O "Pantera Negra", como era conhecido, foi 11 vezes campeão português, cinco da Taça de Portugal e dois da Liga dos Campeões da Europa. Foi, também, vice-campeão mundial interclubes. Pelo selecionado luso, disputou a Copa do Mundo de 1966, levando-o ao 3º lugar (melhor colocação da história até hoje), e foi o artilheiro da competição, com nove gols.

Talvez estes dados tenham sido a inspiração para que outro craque imortal, Di Stéfano, dissesse o que disse a seu respeito. "Para mim, Eusébio será sempre o melhor jogador de todos os tempos."

Figo | *Nome*: Luís Filipe Madeira Caeiro Figo
Data e Local de Nascimento: 04.11.1972, em Almada/POR

Tornar-se ídolo em um grande clube não é algo que se conquista com muita facilidade. Tornar-se ídolo por dois grandes clubes, menos ainda. E se um jogador consegue tal façanha em dois dos maiores rivais do planeta, então é porque este jogador é mesmo diferenciado.

O português Figo, meia com características ofensivas que brilhou na Espanha, mais precisamente no Barcelona e no Real Madrid, desfruta de tal condição. Destaque também na seleção de seu país, pela qual é um dos jogadores que mais vezes atuou — 127 partidas —, foi eleito o melhor do mundo em 2001, pela FIFA.

Fritz Walter | *Nome*: Friedrich Walter
Data e Local de Nascimento: 31.10.1920, em Kaiserslautern/ALE
Data e Local de Falecimento: 17.06.2002, em Enkenbach-Alsenborn/ALE

Se uma "Alemanha de Todos os Tempos" fosse formada, um de seus titulares absolutos seria um jogador que, hoje, são raríssimos aqueles que viram jogar: Fritz Walter.

Conhecido como "das Gehirn und das Herz" (O Cérebro e o Coração, em alemão), pois aliava à genialidade técnica um fortíssimo senso de organização tática da equipe, defendeu apenas um time em toda a sua carreira — o Kaiserslautern, tornando-se o melhor jogador da história deste pequeno clube alemão.

Mas foi atuando pela seleção da Alemanha que Walter alcançou fama e glória. Grande líder da equipe, faturou a Copa do Mundo de 1954, quando já tinha 34 anos. E mesmo quatro anos mais velho, ainda compôs o time que foi à Suécia. Chegou a ser convocado para o Mundial do Chile, quando somava 42 anos, mas declinou do convite alegando falta de condições físicas ideais.

Gerd Müller | *Nome*: Gerhard Müller
Data e Local de Nascimento: 03.11.1945, em Nördlinger/ALE

Durante 32 anos, ninguém marcou mais gols do que ele na história das Copas do Mundo. Também, pudera: com os 10 que fez em 1970, no México, e os quatro que anotou em 1974, na Alemanha, ele só seria ultrapassado em 2006, quando o brasileiro Ronaldo Nazário chegaria aos 15 no Mundial realizado justamente em terras alemãs.

Mas este é apenas um dos incríveis números de Gerd Müller. Pela seleção de seu país, por exemplo, ele detém a impressionante marca de mais de um gol por jogo disputado — balançou as redes 68 vezes em 62 partidas! Já pelo Bayern de Munique/ALE, clube que defendeu por mais de 15 anos ininterruptos, o "Der Bomber" (A Bomba, em alemão) fez mais de 350 gols.

Henry | *Nome*: Thierry Daniel Henry
Data e Local de Nascimento: 17.08.1977, em Les Ulis/FRA

Ele já era um grande nome quando chegou ao Barcelona/ESP, em junho de 2007, pois havia brilhado no Mônaco (por lá foi campeão francês), onde começou, e principalmente no Arsenal, clube pelo qual foi bicampeão inglês, tricampeão da Copa da Inglaterra e se tornou o maior artilheiro da história, com 226 gols.

Mas é inegável que foi no futebol espanhol que Henry viveu a melhor fase de sua vida profissional, pois em apenas três temporadas levantou nada menos do que sete importantes títulos: Champions League (2008/09), Supercopa da UEFA (2009), Mundial Interclubes (2009), Campeonato Espanhol (2008/09 e 2009/10), Copa do Rei (2008/09) e Supercopa da Espanha (2009).

Outro destaque fica também para a sua participação na seleção francesa, pela qual faturou a Copa do Mundo de 1998, a Eurocopa de 2000 e a Copa das Confederações de 2003, marcando 53 gols em 123 partidas.

Ibrahimovic | *Nome*: Zlatan Ibrahimovic
Data e Local de Nascimento: 03.10.1981, em Malmö/SUE

Quatro vezes campeão italiano, quatro vezes campeão francês, duas vezes campeão da Copa da França.

As passagens que teve por Milan/ITA e PSG/FRA podem, de forma bastante simples, resumir Ibrahimovic, melhor jogador sueco de todos os tempos — um de seus muitos golaços já foi homenageado com o prêmio Puskás (2013) — e, sem dúvida alguma, um dos mais completos centroavantes que o mundo da bola já teve o prazer de ver jogar.

Talvez o único senão de uma carreira tão gloriosa tenha sido o fato de jamais ter chegado sequer às quartas de uma Copa do Mundo, muito embora tenha disputado duas edições — 2002 e 2006 — e se negado a defender a seleção de seu país nas Eliminatórias para a Rússia em 2016/17, o que acabou por deixá-lo de fora também do próprio Mundial no ano seguinte.

Iniesta | *Nome*: Andrés Iniesta Luján
Data e Local de Nascimento: 11.05.1984, em Fuentealbilla/ESP

Revelado pelas categorias de base do Barcelona, estreou no time principal aos 19 anos. Desde então, além de literalmente tomar conta do meio-campo, tornou-se o maior símbolo de uma das mais espetaculares fases da equipe catalã. Dentre suas conquistas, vale ressaltar os incríveis 33 títulos (dentre estes nove Campeonatos Espanhóis e quatro Champions League) que obteve com a camisa azul e grená, o que o torna o jogador espanhol mais vitorioso de todos os tempos.

Mas seu sucesso não se limitou ao Barça. Pela "Fúria", faturou a Eurocopa de 2008 e a Copa do Mundo de 2010, sendo eleito o melhor jogador daquele Mundial. Dois anos mais tarde, faturou o bi do torneio continental e, de novo, foi o maior destaque da seleção espanhola.

Just Fontaine | *Nome*: Just Fontaine
Data e Local de Nascimento: 18.08.1933, em Marrakesh/MAR

Ele pode não ser mais o maior artilheiro das Copas do Mundo, mas continua sendo — e muito provavelmente para sempre será — o maior artilheiro em uma única edição de Copa do Mundo.

Just Fontaine, que brilhou no Mundial de 1958, anotou nada menos do que 13 gols em seis partidas disputadas, terminando a competição na 3ª colocação com os "Bleus" e, claro, sendo o campeão dentre todos os goleadores.

Seus números são realmente impressionantes. Por exemplo: em 200 jogos pela divisão principal do Campeonato Francês, marcou 164 gols (numa pra lá de excelente média de 0,82 gol por partida); pelo selecionado nacional, então, seus feitos são ainda mais impressionantes, pois balançou as redes 30 vezes em somente 21 jogos (ou 1,42).

Não fossem duas fraturas seguidas na perna esquerda, sofridas em 1960 e em 1961, que o obrigaram a encerrar a carreira com apenas 28 anos, provavelmente viria a ser o maior artilheiro da história das Copas do Mundo, embora a França — eliminada pela Bulgária no jogo decisivo por 1 x 0 — não tenha se classificado para 1962 (talvez até pela ausência do seu principal goleador).

Klose | *Nome*: Miroslav Josef Klose
Data e Local de Nascimento: 09.06.1978, em Opole/POL

Existem atletas que jogam o fino da bola em seus clubes, mas que, quando chegam à seleção de seu país, não rendem o mesmo. Mas existem também os que jogam um futebol apenas razoável em seus clubes, porém, quando chegam à seleção de seu país, rendem infinitamente mais.

Este foi o caso de Miroslav Klose, um polonês que se naturalizou alemão e que, vestindo a camisa branca e preta, tornou-se seu maior artilheiro, com 71 gols em 137 partidas. Aliás, foi por ela que disputou quatro Copas do Mundo, sendo vice-campeão em 2002, terceiro colocado em 2006 e 2010 e, finalmente, campeão em 2014.

Sejamos sinceros: com um currículo desses, será que ele precisaria ter brilhado também nos clubes em que jogou?

Kocsis | *Nome*: Sándor Kocsis Péter
Data e Local de Nascimento: 21.09.1929, em Budapeste/HUN
Data e Local de Falecimento: 22.07.1979, em Barcelona/ESP

Ele ocupa um papel de coadjuvante na história do futebol, mas não deveria.

Kocsis foi tão importante à talentosíssima seleção húngara na campanha do vice-campeonato mundial de 1954 quanto Puskás, idolatrado até hoje como um dos maiores jogadores do mundo em todos os tempos. Aliás, ambos se completavam, e foi justamente por isso que a Hungria encantou o planeta naquela Copa do Mundo.

Com média de 1,10 gol por partida pelo selecionado de seu país (75 em 68 jogos), foi o artilheiro do Mundial de 1954 com 11 gols, marca que até hoje perdura como a segunda melhor numa mesma edição.

Não resta dúvida: Kocsis é um dos protagonistas da história do futebol.

Lahm | *Nome*: Philipp Lahm
Data e Local de Nascimento: 11.11.1983, em Munique/ALE

Uma das principais características do futebol é que todos podem praticá-lo, independentemente de serem (ou não) mais altos, mais fortes e mais rápidos. E Philipp Lahm é uma grande prova disso: afinal, com apenas 1,68m, se tornou um dos melhores laterais-esquerdos da Alemanha e do futebol.

Disputou três Copas do Mundo (2006, 2010 e 2014), e em todas foi eleito o melhor jogador de sua posição. Detalhe: na última, quando venceu o torneio, já atuava pela lateral direita. E ainda assim conseguiu se destacar, principalmente graças ao seu ritmo constante, à incrível capacidade física e à grande habilidade.

Lato | *Nome*: Grzegorz Boleslaw Lato
Data e Local de Nascimento: 08.04.1950, em Malbork/POL

Dizem que, no futebol, sorte é a junção da capacidade com a oportunidade.

E foi mais ou menos isso o que aconteceu com Lato, ponta-direita com grande capacidade de finalização, que brilhou no futebol polonês e, principalmente, na seleção polonesa justamente no período mais fértil do esporte no país. Durante 10 anos, mais especificamente entre 1972 e 1982, a Polônia faturou a medalha de ouro olímpica nos Jogos de Munique (1972), foi 3ª colocada na Copa do Mundo da Alemanha, 5ª na Argentina e 3ª na Espanha. Ao lado do ótimo meia Boniek, Lato se tornou a maior estrela de todas estas conquistas, tendo sido, aliás, o artilheiro do Mundial de 1974, com sete gols.

Após encerrar a carreira, tornou-se senador da Polônia (entre 2001 e 2005) e também presidente da Associação Polonesa de Futebol (de 2008 a 2012).

Maldini | *Nome*: Paolo Cesare Maldini
Data e Local de Nascimento: 26.06.1968, em Milão/ITA

Atuar profissionalmente até os 41 anos já é algo elogiável para um jogador de futebol. Jogar todos os seus 25 anos como profissional em um único clube, porém, é um feito ainda mais impressionante na carreira de um atleta. Mas talvez faltem adjetivos que possam qualificar com exatidão alguém que, durante esse tempo, levantou exatas 25 taças.

Pois todas as afirmativas acima se aplicam a Paolo Maldini, excepcional jogador que fez história no Milan/ITA e na seleção italiana. Pelo Rossonero Milanista ganhou cinco Champions League, sete Campeonatos Italianos, cinco Supercopas da Itália, uma Copa da Itália, cinco Supercopas Europeias e três Mundiais Interclubes (1989, 1990 e 2007).

Em sua trajetória ficou faltando apenas um título pela seleção italiana.

Maradona | *Nome*: Diego Armando Maradona
Data e Local de Nascimento: 30.10.1960, em Lanús/ARG
Data e Local de Falecimento: 25.11.2020, em Dique Luján/ARG

Quem foi melhor, Maradona ou Pelé?

Embora para a esmagadora maioria o brasileiro seja a resposta, há quem hesite no momento de responder essa pergunta e, mais ainda, os que têm certeza, pasmem, que o argentino superou o Rei do Futebol.

Não há como explicar a genialidade que ele mostrou em campo durante toda a sua vitoriosa e conturbada carreira, mas talvez a baixa estatura — tem somente 1,65m — o tenha ajudado a desenvolver sua inacreditável habilidade no passe, no controle da bola e no drible. Isso, claro, sem contar a incrível qualidade que mostrava no momento das finalizações.

A Maradona é dado o crédito de ganhar uma Copa do Mundo "sozinho". Explicando: quando a Argentina faturou o Mundial de 1986, no México, sua equipe era formada, em sua maioria, por apenas bons jogadores. Ele era o único craque, o único "fora de série", e mesmo assim nossos *hermanos* levaram a taça (ainda que, nas quartas de final, tenham eliminado a Inglaterra por meio de um gol irregular, marcado com a mão, justamente por ele).

Hoje, pelo andar da carruagem, já não é nenhum absurdo fazer a seguinte pergunta: Quem é melhor, Maradona ou Messi?

Matthäus | *Nome*: Lothar Herbert Matthäus
Data e Local de Nascimento: 21.03.1961, em Erlangen/ALE

Ser o primeiro é sempre gratificante demais. Por isso, será eterno o orgulho de Matthäus, já que o craque foi o jogador que teve a honra de ser eleito o melhor do mundo pela FIFA em 1991, ano em que a entidade máxima do futebol mundial instituiu o prêmio.

E ele fez muito jus a tal conquista, pois no ano anterior havia sido o capitão da Alemanha na vitoriosa campanha na Copa do Mundo realizada na Itália e, também, eleito o maior destaque da competição.

Mas este exímio meio-campista tem outros dados a serem destacados. Ao lado dos mexicanos Rafa Márquez e Antonio Carbajal, e do italiano Buffon, é o atleta que mais Copas disputou — cinco ao total: 1982, 1986, 1990, 1994 e 1998. Mas detém de forma exclusiva um outro recorde: nenhum outro profissional do planeta disputou mais partidas em Mundiais: 25!

Mbappé | *Nome*: Kylian Mbappé Lottin
Data e Local de Nascimento: 20.12.1998, em Bondy/FRA

Durante 60 anos, Pelé foi o único adolescente a marcar um gol numa final de Copa do Mundo, feito que conseguiu aos 17 anos, na Suécia. Mas desde 2018 o Rei do Futebol passou a ter companhia.

Em 2015, com apenas 16 anos, ele já estreara na seleção francesa principal, provando que viria a ser, em um curtíssimo espaço de tempo, uma de suas estrelas. Não deu outra: no Mundial realizado na Rússia, com um futebol repleto de dribles e sempre muito ofensivo, foi o grande destaque dos "Bleus". Quatro anos mais tarde, quase se sagrou bi, no Catar.

Se o futebol já prepara seu futuro melhor jogador do mundo, este com certeza tem tudo para ser Mbappé.

Meazza | *Nome*: Giuseppe Meazza
Data e Local de Nascimento: 23.10.1910, em Milão/ITA
Data e Local de Falecimento: 21.08.1979, em Lissone/ITA

Um atacante impiedoso, que não desperdiçava lances de gol e que levou seus torcedores ao êxtase.

Com essa frase se pode definir, de maneira simples mas paradoxalmente também completa, a genialidade de Meazza. Primeiro grande craque a eternizar seu nome na história do futebol, ele foi o melhor jogador do planeta nos anos 30, década em que faturou o bicampeonato mundial pela seleção da Itália.

Apelidado de "Il Genio" (O Gênio, em italiano) pela imprensa de seu país, brilhou principalmente na Internazionale/ITA, clube pelo qual disputou 409 partidas e marcou 286 gols.

Messi | *Nome*: Lionel Andrés Messi Cuccittini
Data e Local de Nascimento: 24.06.1987, em Rosário/ARG

Às vezes, os deuses do futebol escolhem para ser protagonistas pessoas que, inicialmente, sequer correrem atrás de uma bola poderiam. Foi o caso, por exemplo, de Garrincha, assim como de Cruyff. E embora poucos saibam, foi também o caso de Messi.

O pequeno Lionel nasceu em uma família pobre e, desde muito cedo, foi diagnosticado com hipopituitarismo, uma deficiência na produção do hormônio do crescimento. Mesmo assim, era impressionante a sua habilidade com a bola nos pés durante os jogos pelos campinhos de Rosário e, desta forma, olheiros do Barcelona convenceram seus pais a permitirem que o garoto, então com apenas 13 anos, se mudasse para a Espanha. Em troca, o clube catalão ficaria encarregado do pagamento de todo o tratamento de saúde de "La Pulga", seu mais famoso apelido.

Foi a mais sábia decisão que os pais de Lionel tomaram. Já nas categorias de base do Barça, Messi passou a encantar todos que o viam em campo. Muito gradativamente, também conseguiu ganhar altura e massa muscular suficientes para que pudesse se transformar em atleta profissional. O resultado disso tudo foram, até o final de 2022, nada menos do que 40 títulos, incluindo dez Campeonatos Espanhóis, sete Copas do Rei (como é conhecida a Copa da Espanha), quatro Champions League, três Supercopas da UEFA, três Mundiais Interclubes, um Campeonato Francês e uma Copa da França, estes pelo Paris Saint-Germain, além da Copa América de 2021 e da Copa do Mundo de 2022 pela seleção argentina. Individualmente, foi também eleito o melhor jogador do mundo pela FIFA em seis anos, quatro deles consecutivos.

Muito embora tenha demorado mais do que seu talento previa, conseguiu levar a Argentina ao título de uma Copa do Mundo, em 2022. Além disso, é o maior artilheiro da seleção de seu país com quase 100 gols em 172 partidas.

Não é por acaso que, na Argentina, já há quem faça *aquela* pergunta.

Modrić | *Nome*: Luka Modrić
Data e Local de Nascimento: 09.09.1985, em Zadar/IUG

Existem países nos quais vários craques surgem a cada ano, mas existem também nações onde o aparecimento de um fenômeno do futebol é algo raro.

Um dos exemplos desta situação aconteceu na Croácia. Foi em um local devastado pela guerra civil que nasceu e cresceu o garoto Modrić, que tinha apenas 10 anos quando viu sua terra se tornar independente da hoje extinta Iugoslávia. Revelado pelo Dínamo, da cidade de Zagreb, rapidamente se tornou um dos melhores jogadores locais, chegando à seleção principal com apenas 21 anos.

Seu talento, porém, era grande demais para o ainda incipiente futebol croata, e assim o jovem foi alçar voos mais altos — primeiro no Tottenham/ING e em seguida no Real Madrid/ESP, onde se tornou o que se chama de "cérebro" do time e faturou vários títulos.

Mas, sem dúvida, foi em 2018 que Modrić viveu o maior ano de sua carreira até agora: mesmo sendo apenas vice-campeão da Copa do Mundo com a Croácia, acabou eleito o melhor jogador do torneio e, de quebra, o melhor jogador do mundo pela FIFA.

Obdulio Varela | *Nome*: Obdulio Jacinto Muiños Varela
Data e Local de Nascimento: 20.09.1917, em Montevidéu/URU
Data e Local de Falecimento: 02.08.1996, em Montevidéu/URU

Quando se fala na final da Copa do Mundo de 1950 e na vitória do Uruguai sobre o Brasil, todos se lembram de Gigghia, autor do gol do título e que calou 200 mil torcedores num Maracanã pra lá de completamente lotado.

De fato, o atacante da Celeste Olímpica foi o grande herói daquela tarde, mas o bicampeonato mundial do Uruguai teve outros destaques, e o maior deles foi, sem dúvida, o capitão do time: Obdulio Varela. Cabeça-de-área e principal marcador da equipe, ele anulou por completo os dois mais técnicos jogadores brasileiros, Zizinho e Jair Rosa Pinto. Além disso, soube como ninguém usar a raça, característica principal do futebol de seu país, e com ela desestabilizar ainda mais a Seleção Brasileira após o gol de Gigghia.

Pelo que fez no "Maracanazo", por tudo o que conquistou com a camisa azul celeste e também por ter ascendência africana, responsável pelo tom mais escuro de sua pele, Obdulio foi apelidado de "El Jefe Negro" (O Chefe Negro, em espanhol).

Paolo Rossi | *Nome*: Paolo Rossi
Data e Local de Nascimento: 23.09.1956, em Prato/ITA
Data e Local de Falecimento: 09.12.2020, em Siena/ITA

A derrota do Brasil para a Itália, na Copa do Mundo de 1982, é até hoje considerada o maior pecado que o mundo do futebol já viu. Afinal, a bola que os comandados por Telê Santana jogavam era a mais pura expressão da arte, característica maior do talento brasileiro que todos os demais países, sem exceção, aprenderam a admirar e a invejar. Mas, se os deuses do futebol assim o queriam, precisariam de um instrumento, e este foi Paolo Rossi.

Até então disputando um Mundial sem nenhum brilho e, por isso, bastante criticado pela imprensa de seu país, o centroavante italiano resolveu "estrear" na Espanha justamente diante da Seleção Brasileira. Com três gols, calou boa parcela do estádio de Sarriá, em Barcelona, e mandou para casa os maiores favoritos ao título. E não parou por aí: até o fim do torneio, marcou mais três e terminou a competição como artilheiro. Aliás, além do prêmio de goleador, foi também eleito o melhor jogador da Copa e, claro, desta se sagrou campeão. Até hoje, é um dos únicos três jogadores a obter tais feitos, ao lado do brasileiro Garrincha (em 1962) e do argentino Kempes (em 1978). Na Itália, ganhou o apelido de "Bambino D'Oro" (Menino de Ouro). Já no Brasil, ficou conhecido como "O Carrasco do Sarriá".

De fato, em 5 de julho de 1982, os deuses do futebol cometeram o maior pecado que já se viu pelos gramados do mundo em todos os tempos. Mas como Paolo Rossi não tinha nada a ver com isso...

Pedro Rocha | *Nome*: Pedro Virgílio Rocha Franchetti
Data e Local de Nascimento: 03.12.1942, em Salto/URU
Data e Local de Falecimento: 02.12.2013, em São Paulo/SP

Como você definiria um jogador que foi octacampeão uruguaio, tricampeão da Copa Libertadores da América, bicampeão mundial interclubes e também campeão brasileiro? Com muitos adjetivos, claro, mas que poderiam todos ser resumidos em um só: craque.

E foi exatamente isso que Pedro Rocha conseguiu ser em sua brilhante carreira, na qual defendeu, principalmente, o Peñarol e o São Paulo, clubes pelos quais obteve as conquistas acima. Tanto sucesso, é claro, só poderia lhe render um lugar de glória também na Celeste Olímpica, a qual defendeu em quatro Copas do Mundo consecutivas (1962, 1966, 1970 e 1974). Impiedoso com os adversários, ganhou o apelido de "El Verdugo" (O Carrasco, em espanhol).

Mas tudo isso não se compara àquela que, sem dúvida, foi a maior honra que recebeu durante sua trajetória profissional: ser eleito por Pelé um dos cinco maiores jogadores de futebol de todos os tempos.

Platini | *Nome*: Michel François Platini
Data e Local de Nascimento: 21.06.1955, em Joeuf/FRA

Após começar no humilde Nancy/FRA e, em seguida, defender o poderoso, à época, Saint-Éttiene/FRA, este clássico camisa 10 brilhou na Juventus, clube que abraçou na primeira metade dos anos 80. Pela "Vecchia Signora", foi o artilheiro dos Campeonatos Italianos de 1982/83, 1983/84 e 1984/85. Vivendo excepcional fase, tornou-se o maior responsável pela conquista da Eurocopa de 1984 pela seleção francesa, a qual conduziu ao 3º lugar na Copa do Mundo do México, em 1986. Além disso, faturou também três prêmios Bola de Ouro — nos anos de 1983, 1984 e 1985.

Extraordinariamente habilidoso, dono de um passe perfeito, de lançamentos milimétricos e com faro de gol semelhante ao dos maiores centro-avantes, Platini reinou absoluto, durante décadas, como o maior craque que o futebol francês já produzira.

Ao encerrar a carreira nos gramados, tornou-se dirigente e chegou ao cargo de presidente da UEFA.

Puskás | *Nome*: Ferenc Puskás Biró
Data e Local de Nascimento: 01.04.1927, em Budapeste/HUN
Data e Local de Falecimento: 17.11.2006, em Budapeste/HUN

Jogar 85 partidas por uma seleção e marcar... 84 gols. Disputar 533 jogos por campeonatos nacionais e marcar... 511 gols.

Os dados acima indicam que seu autor foi um dos mais brilhantes e profícuos atacantes de todos os tempos e, consequentemente, um dos melhores jogadores que o futebol já produziu. E se falarmos que ele foi tricampeão europeu, pentacampeão húngaro e pentacampeão espanhol, teremos a certeza de que este personagem conseguiu tudo o que poderia nos gramados por onde desfilou seu talento. Só que não. Ao craque em questão, Puskás, faltou o título de uma Copa do Mundo. E olha que ele chegou bem perto, sendo vice-campeão na Suíça, em 1954.

Em 2009, três anos após sua morte, a FIFA instituiu um prêmio concedido anualmente ao jogador que marcar o mais belo gol da temporada e, não só para homenageá-lo, mas certamente também para reparar um erro histórico, batizou-o com o nome de Puskás.

Raúl | *Nome*: Raúl González Blanco
Data e Local de Nascimento: 27.06.1977, em Madri/ESP

Às vezes, o futebol prega peças em quem o pratica.

Um bom exemplo disso aconteceu com Raúl, excelente meio-campista de características muito ofensivas que brilhou no Real Madrid. Pelo clube madrilenho, ele é o recordista em número de partidas disputadas — 741 — e o segundo maior artilheiro da gloriosa história da equipe — 323 gols, sendo superado apenas pelo português Cristiano Ronaldo. Vestindo a camisa branca, Raúl se sagrou hexacampeão espanhol, tricampeão europeu e bicampeão mundial, entre outras tantas conquistas.

Porém, mesmo diante de um currículo como este, infelizmente foi mais um a encerrar a carreira sem ter a chance de vencer uma Copa do Mundo, muito embora tenha disputado três delas.

Riquelme | *Nome*: Juan Román Riquelme
Data e Local de Nascimento: 24.06.1978, em San Fernando/ARG

Houve um tempo — saudoso tempo, aliás — em que, para vestir a camisa 10 de uma equipe, era preciso ser alguém diferenciado. Ao contrário do que se passa hoje em dia, carregar às costas o número que representa a nota máxima não cabia a qualquer jogador, mas, sim, somente àqueles que provavam ter talento para tanto.

Daí a grande honraria que este craque argentino recebeu: ele foi considerado um dos últimos "verdadeiros 10" do futebol, justamente porque aliava à forma de conduzir os times a genialidade inerente apenas àqueles que foram tocados pelos dedos dos deuses do futebol.

Embora tenha atuado no poderoso Barcelona/ESP, foi no Boca Juniors/ARG que viveu as duas melhores fases de sua carreira: entre 1996 e 2002 e entre 2007 e 2014. Ao todo, disputou 388 partidas pelo clube e marcou 92 gols. Já o número de assistências, ou seja, de passes e lançamentos que culminaram em gols, foi tão grande que jamais chegou a ser calculado (foram mais de 150). Em termos de conquistas, faturou seis títulos nacionais, três Libertadores da América e um Mundial Interclubes.

Como se vê, não se fazem mais camisas 10 como antigamente.

Robben | *Nome*: Arjen Robben
Data e Local de Nascimento: 23.01.1984, em Bedum/HOL

Existem mistérios no futebol que ninguém consegue explicar, e um deles é como um país com *apenas* 41.526 km^2 e uma população de cerca de *apenas* 17 milhões consegue revelar *tantos* jogadores com *tamanha* qualidade. Mas é exatamente isso o que acontece com a Holanda, local de nascimento de um dos mais completos craques deste século.

Atuando sempre pelos lados do campo, numa função hoje conhecida como segundo atacante, Robben se destacou em todos os clubes por que jogou — desde o pequeno Groninguen/HOL, onde começou, passando por PSV/HOL, Chelsea/ING, Real Madrid/ESP e, principalmente, Bayern de Munique/ALE. Por estas equipes, ganhou nada menos do que 30 títulos, com destaque para os da Champions League (2012/13) e do Mundial Interclubes de 2013 pela equipe alemã.

Pela seleção holandesa, a qual não conseguiu a vaga para a Copa do Mundo de 2018 e, por isso, dela se aposentou, jogou 96 partidas e marcou 37 gols. Na "Laranja Mecânica", foi também vice-campeão do mundo em 2010.

Seedorf | *Nome*: Clarence Clyde Seedorf
Data e Local de Nascimento: 01.04.1976, em Paramaribo/SUR

O Suriname é um país localizado no extremo norte da América do Sul, cujo futebol é totalmente inexpressivo em termos internacionais, e uma boa prova disso é que sequer disputa as Eliminatórias para as Copas do Mundo com os demais países do continente, mas sim com adversários localizados nas Américas Central e do Norte — ou seja: muito mais fracos do que potências sul-americanas como Argentina, Brasil ou Uruguai, por exemplo. E, ainda assim, jamais chegou nem mesmo razoavelmente perto de conseguir uma vaga no principal torneio de futebol do planeta.

Por outro lado, isso não impede que, vez ou outra, surja por lá um cracaço da bola, e o meio-campista Seedorf é um destes exemplos. Nascido na capital, Paramaribo, aproveitou-se do fato de sua terra ter sido uma possessão da Holanda entre 1863 e 1975 e se naturalizou holandês, podendo desta forma atuar pela própria seleção holandesa.

Sábia decisão: defendendo, entre outras, camisas de peso como as de Ajax/HOL, Real Madrid/ESP, Internazionale/ITA e, principalmente, Milan/ITA, ele se tornou um dos melhores jogadores da história do futebol holandês — mesmo sendo surinamês. Fã da cultura brasileira, fala nosso português fluentemente e, inclusive, é casado com uma carioca de Realengo. No fim de sua carreira, atuou pelo Botafogo.

Sepp Maier | *Nome*: Josef Dieter Maier
Data e Local de Nascimento: 28.02.1944, em Metten/ALE

Os garotos Franz e Josef eram vizinhos e grandes amigos. O principal passatempo de ambos era jogar tênis, muito embora nenhum dos dois de fato jogasse muito bem. Já correndo atrás da bola, o primeiro mostrava muito talento — ao contrário do segundo.

Por isso, um dia convidou o amigo a participar de uma pelada com outros meninos do bairro. Ele, inicialmente, não aceitou, alegando que era muito ruim e que por isso seria motivo de risadas dos demais. Franz, então, sugeriu que ele jogasse como goleiro — assim, certamente, as críticas seriam mais brandas, já que nenhum deles se destacava embaixo do travessão. Josef aceitou.

O resultado daquele jogo entre amigos foi um profissional que durante 15 anos atuou como titular absoluto do principal time de seu país, o Bayern, defendeu a seleção alemã em 95 partidas e disputou nada menos do que quatro Copas do Mundo. Além disso, muitos são os que concedem a ele a maior parte da glória pelo título no Mundial de 1974, tantas foram as defesas que praticou na final diante de uma Holanda infinitamente superior.

Ah, sim: o Franz a que nos referimos no início ficou mais conhecido como Beckenbauer.

Stanley Matthews | *Nome*: Thomas Stanley Matthews
Data e Local de Nascimento: 01.02.1915, em Hanley/ING
Data e Local de Falecimento: 23.02.2000, em Stoke-on-Trent/ING

Todo mundo que acompanha futebol e conhece pelo menos um pouco de sua história sabe que *sir* Stanley Matthews detém dois recordes impressionantes: o de atleta com mais longa carreira — atuou profissionalmente por 34 anos! — e também o de jogador mais velho a disputar uma partida oficial, feito que obteve em 1965 quando, então, já havia completado meio século de vida.

Mas o que pouca gente sabe é que, além dos recordes, Matthews foi também um jogador excepcional, sendo considerado por muitos até mesmo o segundo melhor ponta-direita da história, superado apenas pelo brasileiro Garrincha. Conhecido como "The Dribble Wizard" (O Mago do Drible), disputou 54 partidas pela seleção da Inglaterra e esteve presente em duas edições de Copas do Mundo — em 1950, no Brasil, e em 1954, na Suíça.

Suárez | *Nome*: Luis Alberto Suárez Díaz
Data e Local de Nascimento: 24.01.1987, em Salto/URU

Artilheiro no Uruguai, na Holanda, na Inglaterra e na Espanha.

Por onde quer que jogue, Luizito Suárez parece não encontrar problema algum na hora de marcar gols. E sempre foi assim, desde que começou sua carreira nas categorias de base do Nacional/URU.

Com apenas 19 anos, transferiu-se para o Groningen/HOL e, mesmo defendendo uma equipe de segundo escalão do futebol holandês, manteve sua fama de goleador.

De lá para o Ajax/HOL, depois para o Liverpool/ING, Barcelona/ESP e, por fim, para o Atlético de Madrid/ESP. Por onde passou, este impiedoso centroavante balançou as redes com enorme facilidade. Mas é inegável que foi no clube catalão que, contando com a excepcional ajuda de dois craques, o brasileiro Neymar e o argentino Messi, "El Pistolero" viveu a melhor fase de sua carreira, não só por continuar a marcar muitos gols, mas também pelos títulos que conquistou — logo em seu primeiro ano de clube (2014), faturou o Campeonato Espanhol, a Copa da Espanha (conhecida por lá como Copa del Rey) e a Champions League. De quebra, faturou também o Mundial Inter-clubes do ano seguinte.

Suárez é, também, o maior artilheiro da história da seleção do Uruguai, tendo marcado até o fim de 2022 exatos 68 gols.

Tevez | *Nome*: Carlos Alberto Martinez Tevez
Data e Local de Nascimento: 05.02.1984, em Ciudadela/ARG

Todos sabem que a rivalidade futebolística entre Brasil e Argentina é a maior do mundo. E isso não é de hoje, não: vem de longe, talvez até mesmo desde o dia em que ambas se enfrentaram pela primeira vez, em 20.09.1914.

Por isso, não é exagero dizer que a maior honra obtida por Tevez em sua sensacional carreira não foram os seis títulos que ganhou pelo Boca Juniors/ARG, os outros seis que faturou pelo Manchester United/ING, os três que levantou pelo Manchester City/ING, os quatro que obteve pela Juventus/ITA e, claro, muito menos, o único que ajudou a vencer o pequeno Shanghai Shenhua/CHN. O maior título que Carlitos conquistou foi, sem dúvida alguma, o de ser eleito o melhor jogador do Brasileirão em 2005, ano em que defendeu o Corinthians, foi o artilheiro do campeonato e conquistou o tetra para o Timão.

Afinal, para qualquer argentino, ser campeão é bom, mas ser campeão no Brasil é muito melhor.

Van Basten | *Nome*: Marcel van Basten
Data e Local de Nascimento: 31.10.1964, em Utrecht/HOL

Às vezes, os apaixonados por futebol têm todo o tempo do mundo para acompanhar a carreira de seus ídolos, que, dependendo da forma como se cuidam, pode chegar a 18, 19, 20 anos até. Mas, por outro lado, também existem aqueles craques que, por culpa do destino, acabam tendo uma história muito mais curta do que poderiam.

E este foi o caso de Van Basten. Artilheiro na melhor concepção da palavra, ele defendeu somente dois clubes durante os apenas 11 anos em que desfilou seu talento pelos gramados — o Ajax/HOL e o Milan/ITA. Mas fez tanto sucesso que, até hoje, figura entre os principais nomes da história de ambos os clubes. Marcou presença, também, na seleção holandesa, a qual defendeu em 58 partidas e anotou 24 gols. Gols que, ao todo, chegaram bem perto da casa dos 300, o que por si só prova toda a qualidade que possuía.

Não fossem seguidas contusões e crônicos problemas em seus tornozelos, além de várias cirurgias malsucedidas, é certo que Marcel (ou "Marco", como é mais conhecido) teria encerrado a carreira muito mais tarde do que com apenas 28 anos e, claro, teria sido também um jogador ainda mais completo.

Weah | *Nome*: George Tawlon Manneh Oppong Ousman Weah
Data e Local de Nascimento: 01.10.1966, em Monróvia/LIB

O sonho de disputar uma Copa do Mundo é tão grande para um jogador de futebol, que ele, muitas vezes, não mede esforços para tentar realizá-lo. Assim se explica por si só a decisão de Weah em patrocinar todas as despesas de viagem da seleção da Libéria durante as Eliminatórias Africanas ao Mundial de 1998, na França.

À época, alegando dificuldades financeiras, os dirigentes liberianos pensaram em abrir mão da disputa da vaga, mas graças ao craque o selecionado nacional pôde ir à Gâmbia, Tunísia, Egito e Namíbia. Pena que tanto esforço de nada adiantou: a Libéria ficou apenas em 3º lugar em seu grupo e, por isso, foi desclassificada.

Antes disso, porém, este meio-campista de estilo pra lá de ofensivo já havia escrito seu nome na história da bola. Considerado o melhor jogador africano em todos os tempos, brilhou no futebol da França, da Itália e da Inglaterra, sendo inclusive eleito o maior craque do planeta pela FIFA, em 1995. Depois de encerrar sua carreira, George Weah entrou para a política, tornou--se senador e, desde 22 de janeiro de 2018, é o presidente da Libéria.

Como se vê, na vida deste cracaço só faltou, mesmo, uma Copa do Mundo.

Yashin | *Nome*: Lev Ivanovich Yashin
Data e Local de Nascimento: 22.10.1929, em Moscou/URSS
Data e Local de Falecimento: 20.03.1990, em Moscou/URSS

Yashin é o melhor goleiro que o futebol já teve.

A frase acima é de conhecimento de quase todos que acompanham o esporte, mas por ter atuado numa época da qual as imagens são raríssimas, e também por nunca ter defendido outro clube que não o Dínamo, de sua cidade natal, muitas vezes fica a pergunta: por que ele detém tal status?

Pois bem, vamos às respostas:

- Yashin foi o primeiro goleiro a impor sua personalidade em campo, orientando seus zagueiros no momento da marcação;
- Yashin foi o responsável por defesas oriundas de reflexos quase que sobre-humanos, o que lhe garantiu parte do apelido de "Aranha Negra" (a outra parte é porque sempre atuava com camisa, calção e meias em um tom de azul tão escuro que mais se parecia com o preto);
- Yashin detém o pioneirismo de sair da meta para cortar cruzamentos e também em direção ao atacante adversário (antes dele, o goleiro se limitava a ficar embaixo do travessão e esperar a bola ser cabeceada ou chutada em sua direção);
- Yashin disputou quatro Copas do Mundo pela hoje extinta União Soviética (URSS);
- Yashin foi o único goleiro a receber, em 1963, o prêmio "Bola de Ouro", sempre concedido a artilheiros;
- Yashin defendeu mais de 150 pênaltis durante sua carreira profissional;
- Yashin foi eleito, tanto pela FIFA quanto pela IFFHS (Federação Internacional de História e Estatísticas do Futebol), o melhor goleiro do mundo em todos os tempos.

Acreditamos que a pergunta foi respondida.

Zidane | *Nome*: Zinédine Yazid Zidane
Data e Local de Nascimento: 23.06.1972, em Marseille/FRA

Se fôssemos escrever tudo o que Zidane representou para o futebol francês e mundial, certamente precisaríamos de muito mais do que apenas um item ou mesmo um capítulo de livro. Sua incrível criatividade como cérebro de meio--campo e sua extraordinária facilidade para marcar gols lhe renderiam, com certeza, um livro todinho só pra ele.

Assim, limitemo-nos apenas a alguns de seus mais de 100 títulos obtidos por equipe ou de forma pessoal:

- Bicampeão italiano, campeão da Supercopa da Itália, campeão europeu e campeão mundial interclubes pela Juventus/ITA;

- Campeão espanhol, duas vezes campeão da Supercopa da Espanha, campeão europeu e campeão mundial interclubes pelo Real Madrid/ESP;
- Campeão europeu e campeão da Copa do Mundo pela seleção da França;
- Três vezes eleito o melhor jogador do mundo pela FIFA.

E é melhor pararmos por aqui, senão teremos, de fato, que escrever um livro inteiro dedicado à genialidade de Zizou.

Zoff | *Nome*: Dino Zoff
Data e Local de Nascimento: 28.02.1942, em Mariano del Friulli/ITA

O fato de ser o mais velho jogador a levantar uma Copa do Mundo — capitão da Azzurra na Espanha, em 1982, quando tinha exatos 40 anos, 4 meses e 13 dias de vida — já seria um bom motivo para que Zoff aparecesse entre os mais importantes jogadores de futebol de todos os tempos.

Mas este goleiro de história ilibada e repleta de conquistas, que começou a carreira na Udinese/ITA, teve boas passagens por Mantova/ITA e Napoli/ITA e atingiu a glória quando se transferiu para a Juventus/ITA, foi muito além. Considerado por unanimidade o melhor camisa 1 da Itália em todos os tempos, foi seis vezes campeão italiano, duas vezes campeão da Copa da Itália e uma vez campeão da Copa da UEFA, todos defendendo com maestria a meta da "Vecchia Signora". De quebra, também faturou outro expressivo título pela seleção italiana — o da Eurocopa de 1968.

Por fim, foi considerado pela IFFHS (Federação Internacional de História e Estatísticas do Futebol) o terceiro melhor goleiro do planeta em todos os tempos, sendo superado apenas pelo russo Yashin e pelo inglês Banks.

CAPÍTULO DEZOITO

OS MAIORES CRAQUES BRASILEIROS DE TODOS OS TEMPOS

Ademir | *Nome*: Ademir Marques de Menezes
Data e Local de Nascimento: 08.11.1922, em Recife/PE
Data e Local de Falecimento: 11.05.1996, no Rio de Janeiro/RJ

Um centroavante que marcou mais de 300 gols com a camisa do Vasco da Gama e foi o principal líder de uma equipe tão genial que ficou conhecida como "Expresso da Vitória" já faria por merecer estar entre os maiores craques brasileiros de todos os tempos.

Mas Ademir (ou "Queixada", como também era conhecido) foi além: no comando do ataque brasileiro, ele terminou a Copa do Mundo de 1950 como seu principal artilheiro, marcando nove gols, sendo o recordista da nossa Seleção neste quesito em uma única edição do torneio.

Pelo Selecionado Nacional, também se destacou em quatro edições de Copa América, sendo campeão em 1949, e nos Jogos Pan-Americanos de 1952, no Chile, quando ganhou a medalha de ouro.

Dizem que o termo ponta de lança surgiu em função de seu estilo de jogo. O matador "Queixada", que além de veloz chutava com as duas pernas, era o terror das defesas.

Ademir da Guia | *Nome*: Ademir da Guia
Data e Local de Nascimento: 03.04.1942, no Rio de Janeiro/RJ

Ele tinha tudo para ser apenas o filho de Domingos, zagueiro que só poderia mesmo ter o nome do dia consagrado ao futebol. Mas ele nasceu para superar o pai. E, para defini-lo, talvez seja necessário somente um adjetivo: divino.

Poucos sabem, porém, que Ademir nem sempre foi uma unanimidade. Em 1961 e com apenas 19 anos, recém-chegado ao Palmeiras, vindo do pequeno Bangu, aquele menino já tão tímido e calado deixou que a pujança de uma Pauliceia então já totalmente desvairada e a paixão de uma torcida então já amplamente difundida o intimidassem e o calassem ainda mais. Daí o apelido que ganhou em seus primeiros meses de Verdão: "Bonde".

Sim, cometeram o hediondo crime de comparar Ademir da Guia ao meio de transporte que, no começo dos anos 60, já se tornava obsoleto na capital paulista. Mas bastaram algumas partidas para que o menino provasse que tinha, como diria anos depois o inesquecível jornalista Armando Nogueira, nome e sobrenome de craque.

Tempo, aliás, foi o que não faltou a Ademir: foram exatos 16 anos, um mês e um dia de serviços prestados ao clube, desde 17 de agosto de 1961, quando treinou pela primeira vez no Palestra Itália, até 18 de setembro de 1977, dia em que vestiu pela última vez, em jogos oficiais, a camisa verde e branca.

Para escrever sobre ele, talvez nem seja preciso ter acompanhado suas passadas vagarosas e simultaneamente mortais, sua falsa frieza em campo, seus quase 90% de acerto nos passes, segundo calculou um dia o técnico Oswaldo Brandão. Como certa vez disse o poeta João Cabral de Mello Neto, o craque "impunha com seu jogo o ritmo do chumbo e o peso da lesma, da câmera lenta, do andar na areia, do homem dentro do pesadelo, entorpecendo e então atando o mais irrequieto adversário".

Ademir da Guia não foi apenas o melhor jogador da história do Palmeiras: ele é o próprio Palmeiras.

Alex | *Nome*: Alexsandro de Souza
Data e Local de Nascimento: 14.09.1977, em Curitiba/PR

Quando chegou ao Palmeiras, com apenas 19 anos, Alex já era uma grande promessa. Afinal, brilhara no Coritiba e chamara a atenção com um futebol clássico, refinado e de muita habilidade, bastante comum no passado, mas então já rareando em nosso futebol. Aliás, foram exatamente tais qualidades que o elevaram em tempo recorde à condição de ídolo da torcida palmeirense.

Mesmo, às vezes, acusado de sonolento, Alex raramente passava mais do que dois ou três jogos sem ter uma grande atuação. O excelente meia, maior artilheiro do Verdão na Libertadores (ao lado de Tupãzinho), com 11 gols, brilhou também no Cruzeiro, onde faturou a tríplice coroa em 2003, e também no Fenerbahçe, clube com o qual ganhou três títulos nacionais, uma Copa da Turquia e até uma estátua em frente ao estádio Sükrü Saraçoglu, de propriedade do clube.

Baltazar | *Nome*: Oswaldo Silva
Data e Local de Nascimento: 14.01.1926, em Santos/SP
Data e Local de Falecimento: 25.03.1997, em São Paulo/SP

"Gol de Baltazar, gol de Baltazar! Salta o 'Cabecinha': 1 a 0 no placar!"

A frase acima era o refrão de uma marchinha de Carnaval composta por Alfredo Borba, em 1952, que homenageava o então centroavante do Corinthians. E tais palavras não eram por acaso: durante toda a sua carreira, este inesquecível goleador marcou de cabeça boa parte de seus mais de 300 gols.

Titular absoluto da camisa 9 corintiana durante 12 anos, esteve à frente de importantes títulos, sendo tricampeão paulista e tricampeão do Torneio Rio-São Paulo. Ao lado de Neco, Luizinho, Cláudio, Rivellino e Sócrates, tem um busto erguido nas dependências do clube. Baltazar também fez parte da Seleção Brasileira nas Copas do Mundo de 1950 e 1954, sendo reserva no Brasil e titular na Alemanha.

Até hoje, o "Cabecinha de Ouro", como ficou conhecido, é considerado o melhor cabeceador do futebol brasileiro em todos os tempos.

Bebeto | *Nome*: José Roberto Gama de Oliveira
Data e Local de Nascimento: 16.02.1964, em Salvador/BA

Ele marcou mais de 300 gols, foi o artilheiro principal de oito torneios e faturou mais de 50 títulos, entre coletivos e individuais, durante os 20 anos em que encantou os amantes do bom futebol.

Mesmo assim, a imagem que ficará para a eternidade é a comemoração do segundo gol do Brasil na vitória de 3 x 2 sobre a Holanda, nas quartas de final da Copa do Mundo de 1994 — ao lado de Mazinho e Romário, ele fez um gesto de embalo de um bebê, que ficou mundialmente conhecido como "nana, neném". A ação foi uma homenagem ao filho Matheus, cujo nascimento se dera dias antes, e que Bebeto, claro, não pôde acompanhar porque já estava disputando o Mundial.

Ídolo de duas torcidas eternamente rivais, a do Flamengo e a do Vasco, foi o que se pode chamar de coadjuvante de luxo na conquista do tetracampeonato, sendo um dos principais destaques da Seleção Brasileira nos Estados Unidos.

Bellini | *Nome*: Hilderaldo Luís Bellini
Data e Local de Nascimento: 07.06.1930, em Itapira/SP
Data e Local de Falecimento: 20.03.2014, em São Paulo/SP

Se a primeira vez a gente nunca esquece, imagine então quando esta primeira vez se torna conhecida nos quatro cantos do planeta.

Foi o que aconteceu com este zagueiro, a quem coube a honra de erguer a primeira Copa do Mundo conquistada pelo Brasil, no dia 29 de junho de 1958, no estádio Rasunda, em Estocolmo, depois da goleada de 5 x 2 sobre a Suécia, na grande final. No momento em que recebia o troféu, os fotógrafos pediram para que ele o levantasse acima da cabeça, a fim de que sua imagem pudesse ser melhor retratada. Mesmo sem entender, na hora, o motivo de tal solicitação, o capitão brasileiro achou por bem atender ao que lhe pediam e, sem querer, acabou por eternizar o gesto, hoje copiado por toda equipe ou atleta campeão — de futebol ou de qualquer outro esporte.

Bellini brilhou no Vasco da Gama, no São Paulo, no Athletico Paranaense e também pelo Selecionado Nacional, pelo qual foi bicampeão mundial quatro anos mais tarde, no Chile.

Cafu | *Nome*: Marcos Evangelista de Moraes
Data e Local de Nascimento: 07.06.1970, em Itaquaquecetuba/SP

Cafu jogou mais do que Pelé.

Calma, leitor: o "mais" da frase acima não se refere à qualidade, mas sim à quantidade. Explicando: este lateral-direito que marcou história no futebol brasileiro e mundial disputou um número maior de partidas com a camisa da

Seleção Brasileira do que o maior (e este "maior" não se refere à altura, mas sim ao talento) jogador de todos os tempos. Não existe um consenso em relação ao número total de aparições de Cafu com a "amarelinha", mas, se nos ativermos apenas às partidas válidas por Copas do Mundo, seus dados são incontestáveis: foram 20 os jogos em que ele participou nos quatro Mundiais que disputou.

O ex-jogador de São Paulo, Milan/ITA, Palmeiras e Roma/ITA, entre outros, detém mais um recorde, e este em nível mundial: trata-se do único atleta que disputou três finais de Copas sucessivas, sendo campeão em 1994, vice em 1998 e campeão em 2002 — nesta, por sinal, foi nosso capitão e, por isso, teve a honra de levantar a taça. Aliás, este é outro ponto em que supera o Rei do Futebol, já que o camisa 10 mais famoso do planeta jamais foi o capitão brasileiro em um Mundial.

Careca | *Nome*: Antônio de Oliveira Filho
Data e Local de Nascimento: 05.10.1960, em Araraquara/SP

Em agosto de 1978, um menino de apenas 17 anos calou mais de 100 mil palmeirenses que lotavam o Morumbi. Era a primeira partida final do Campeonato Brasileiro, e o jovem centroavante do Guarani infernizou tanto a vida do goleiro Leão, que, aos 24 minutos do segundo tempo, o então titular da Seleção Brasileira lhe desferiu uma cotovelada dentro da área, em lance que originou sua expulsão e também o pênalti que acabou garantindo a vitória bugrina por 1 x 0. E como o time de Campinas venceu também a finalíssima (1 x 0 — adivinha quem fez o gol?), até hoje é a única equipe interiorana a ter sido campeã brasileira.

Esses foram apenas os primeiros fatos marcantes de Careca no futebol. Anos mais tarde, ele se transferiu para o São Paulo, e no clube do Morumbi se consolidou como craque. Ao contrário da maioria dos centroavantes, dispunha de uma técnica invejável, fato que o favorecia nos quesitos posicionamento e leitura de jogo.

Tanto sucesso, claro, o levaria ao futebol europeu, e em 1987 ele chegou ao Napoli/ITA. No sul da "bota", formou a linha ofensiva criativamente apelidada pela torcida de "MA-GI-CA" — MAradona, GIordano e CAreca — e foi essencial na retomada do espaço da equipe napolitana no cenário local.

Ele seria o titular na Copa do Mundo de 1982, mas uma grave lesão muscular, poucos dias antes da estreia brasileira no Mundial da Espanha, o impediu de seguir com a equipe, sendo substituído por Roberto Dinamite. Quatro anos mais tarde, porém, foi o principal destaque do Brasil no México, muito embora nossa Seleção tenha decepcionado. Sua segunda e última Copa foi a de 1990, mas, assim como toda a equipe, nessa vez… Careca fracassou.

Depois de uma passagem vitoriosa pelo futebol japonês, ele retornou ao Brasil para defender o Santos, seu clube de coração, onde encerrou a brilhante carreira após marcar quase 300 gols como profissional.

Carlos Alberto | *Nome*: Carlos Alberto Torres
Data e Local de Nascimento: 17.07.1944, no Rio de Janeiro/RJ
Data e Local de Falecimento: 25.10.2016, no Rio de Janeiro/RJ

Se existe uma dúvida entre torcedores e jornalistas esportivos brasileiros é sobre quem foi o melhor lateral-direito do país (e consequentemente também do mundo) em todos os tempos: Djalma Santos ou Carlos Alberto? E a questão é mesmo polêmica, pois o primeiro foi o dono absoluto desta condição por muitos anos, mas o segundo impressionava pela refinada técnica e pelo senso de liderança que lhe era nato.

Graças a ele, Carlos Alberto foi escolhido por Zagallo como o capitão da Seleção Brasileira na Copa do Mundo de 1970 (daí o apelido de "Capita"), mesmo tendo como companheiros de equipe nomes como Gérson, Tostão, Jairzinho e, claro, Pelé. Mas o respeito de que desfrutava perante todo o grupo lhe garantiu não só tal ascendência como também a honra de levantar o troféu após a goleada na final diante da Itália.

Este craque do futebol, que no fim de sua carreira atuou também como zagueiro, fez história em vários clubes brasileiros, como Fluminense, Santos, Botafogo e Flamengo, mas ganhou destaque também por ter sido um dos primeiros jogadores de fama mundial a atuar nos Estados Unidos, onde, no fim dos anos 70 e começo dos 80, vestiu a camisa do New York Cosmos.

Didi | *Nome*: Waldir Pereira
Data e Local de Nascimento: 08.10.1928, em Campos dos Goytacazes/RJ
Data e Local de Falecimento: 12.05.2001, no Rio de Janeiro/RJ

Quando tinha 14 anos e ainda vendia amendoim pelas ruas da então pequena Campos dos Goytacazes, o menino Waldir quase foi vítima de uma tragédia:

após sofrer uma grave lesão no joelho, quase teve a perna amputada, já que, à época (falamos do ano de 1942), o correto tratamento para este tipo de problema, sobretudo para os mais pobres, era bastante incipiente e não menos precário. Para a sorte dele e também do futebol, o garoto conseguiu se recuperar, e, graças a isso, se tornou um dos maiores craques brasileiros de todos os tempos.

Didi viveu grandes fases no Fluminense e no Botafogo, mas foi com a camisa da Seleção Brasileira que atingiu o patamar de gênio da bola. Titular do meio-campo em três Copas do Mundo — 1954, 1958 e 1962 —, sagrou--se bicampeão mundial e foi eleito, inclusive, o cérebro daquelas três equipes. Tanto sucesso o levou ao Real Madrid, mas o ciúme de Di Stéfano acabou por tornar sua passagem pelo clube espanhol muito mais curta do que poderia ter sido: foram apenas 19 jogos.

Um dos raros jogadores a criar um tipo de jogada, ele é reconhecidamente o autor da chamada "folha seca", chute dado com o lado de fora do pé, que faz com que a bola suba muito, mas caia repentinamente, o que dificulta demais o trabalho do goleiro.

Djalma Santos | *Nome*: Dejalma dos Santos
Data e Local de Nascimento: 27.02.1929, em São Paulo/SP
Data e Local de Falecimento: 23.07.2013, em Uberaba/MG

O melhor lateral-direito da história do futebol mundial.

Com esta frase curta porém completa em sua essência, pode ser resumida a carreira de um dos recordistas em longevidade no futebol — jogou profis-sionalmente de 1949 a 1970, totalizando, portanto, 21 anos.

Djalma Santos já era um craque consagrado pela Portuguesa — equipe que defendia quando faturou a Copa do Mundo de 1958 pelo Brasil (foi reserva de De Sordi durante todo o Mundial, atuando apenas na partida final) — quando chegou ao Palmeiras, cerca de um ano mais tarde.

No Verdão, sua brilhante trajetória iniciada na Lusa teve sequência. Titular absoluto por anos seguidos, ele, que já havia participado da Copa do Mundo de 1954, na Alemanha, manteria a titularidade também no Chile e na Inglaterra. Foi somente quando já se preparava para deixar o clube que atuou, algumas vezes, como zagueiro central. Também, pudera: com quase 40 anos, seu fôlego já não era suficiente para acompanhar os então ágeis e velocistas pontas-esquer-das. Seu destino, então, foi o Athletico Paranaense, onde encerrou a carreira.

Além de todos os títulos que conquistou, Djalma carregará para sempre o apelido que ganhou do saudoso locutor esportivo paulista Fiori Gigliotti, que, após vê-lo jogar um futebol tão refinado, com muita propriedade passou a chamá-lo de "Pedacinho Preto de Deus".

Domingos da Guia | *Nome*: Domingos Antônio da Guia
Data e Local de Nascimento: 19.11.1912, no Rio de Janeiro/RJ
Data e Local de Falecimento: 18.05.2000, no Rio de Janeiro/RJ

Domingos é uma vítima do futebol.

Pode parecer incrível, mas é verdade. Assim como vários outros craques do passado, ele não teve imagens que pudessem comprovar todo o seu talento, já que à época em que jogava, televisão era algo que nem em sonho existia. Por isso, quando os raríssimos torcedores que o viram em campo afirmam que se tratou do melhor zagueiro da história do futebol, poucos são os que acreditam.

De qualquer forma, a carreira deste atleta o ajuda a figurar ao menos entre os maiores. Ídolo de clubes como Vasco da Gama, Boca Juniors/ARG, Flamengo e Corinthians, ele foi o titular da Seleção Brasileira na Copa do Mundo de 1938 e também eleito o melhor zagueiro daquela competição.

Além disso, acabou ganhando fama também devido ao sucesso de um dos seus filhos, Ademir da Guia, que se tornou o melhor jogador da história do Palmeiras.

Edmundo | *Nome*: Edmundo Alves de Souza Neto
Data e Local de Nascimento: 02.04.1971, em Niterói/RJ

Polêmico e temperamental, exatamente como acontece com 99% dos ícones do ataque, este niteroiense costuma sempre dizer que nasceu vascaíno, mas morrerá palmeirense.

E nem poderia ser diferente: revelado pela equipe de São Januário, foi destaque em sua primeira passagem no time de Palestra Itália e um dos raríssimos casos de incorporação imediata dos princípios, valores e sentimentos alviverdes. Quem o via vestindo a camisa 7, que antes já fora honrada com nomes como Julinho Botelho, tinha a mais absoluta certeza de que ela cobria o corpo de um ferrenho torcedor.

Alguns, agora, podem se lembrar de que este cara não foi santo e que também cometeu erros, alguns inclusive até mesmo graves. É verdade, e por todos eles foi, de uma forma ou de outra, punido pela Justiça Esportiva ou então pela própria vida. Mas este texto não trata do Sr. Edmundo Alves de Souza Neto; trata apenas do inesquecível "Animal", apelido que ganhou do locutor esportivo Osmar Santos logo em seus primeiros meses de Verdão.

Assim que deixou a equipe, defendeu o Flamengo e o Corinthians, mas foi quando retornou ao Vasco da Gama que viveu a melhor fase da carreira, sagrando-se campeão brasileiro em 1997 e artilheiro daquele Brasileirão com 29 gols em 28 partidas. Tal desempenho o levou à Copa do Mundo do ano seguinte, na qual sagrou-se vice-campeão mundial. Em seguida, deu início a uma enorme peregrinação por equipes europeias, japonesas e também brasileiras — inclusive o próprio Palmeiras e, já no encerrar de sua trajetória, de novo o Vasco da Gama.

Como ele mesmo diz, seus dois amores.

Falcão | *Nome*: Paulo Roberto Falcão
Data e Local de Nascimento: 16.10.1953, em Abelardo Luz/SC

Engana-se quem pensa que Roma teve apenas sete reis: Rômulo, Pompílio, Túlio, Márcio, Prisco, Sérvio e Tarquínio. Na verdade, foram oito os monarcas que reinaram na "Cidade Eterna", e o último deles — pasmem! — era brasileiro. Falamos de Falcão, excepcional meio-campista que fez história vestindo a camisa vermelha da equipe da capital italiana e que, justamente por isso, ganhou um fictício, porém merecidíssimo, lugar na história real do país quando foi apelidado "Rei de Roma".

Antes, porém, de brilhar pelos gramados europeus, ele já havia encantado o Brasil desfilando toda a sua genialidade com outra camisa vermelha — a do Internacional. Considerado o melhor jogador da história do clube gaúcho, Falcão unia à enorme capacidade de marcação à frente da zaga a fantástica qualidade na saída de bola e na armação de jogadas. E, não raro, aparecia próximo à área adversária em condições de concluir a gol.

Foi atuando desta forma que, ao lado de Toninho Cerezo, Sócrates e Zico, ele formou o quadrado de meio-campo da Seleção Brasileira na Copa do Mundo de 1982, um dos times que mais encantaram os torcedores em todos os tempos.

Friedenreich | *Nome*: Arthur Friedenreich
Data e Local de Nascimento: 18.07.1892, em São Paulo/SP
Data e Local de Falecimento: 06.09.1969, em São Paulo/SP

"Fried foi melhor do que Pelé."

A frase acima não é minha, claro, mas de Delphin Moreira da Rocha Netto, um dos raros jornalistas que tiveram o privilégio de ver Friedenreich jogar. Dita a este autor, jornalista e escritor pouco antes de seu falecimento (em 23.08.2003, já com 90 anos), é bastante polêmica, como muito polêmico foi o histórico deste grande craque do passado.

A primeira batalha que Fried teve de encarar foi o preconceito. Filho de um imigrante alemão com uma negra cujos pais haviam sido escravos, ele só conseguiu vencer no futebol graças ao seu enorme talento e à incrível facilidade para balançar as redes. Graças a estes dois detalhes, foi o primeiro afrodescendente a ser convocado para a Seleção Brasileira, em uma época que atuar nos clubes e disputar campeonatos era exclusividade de arianos.

Outra guerra que "El Tigre", como era chamado por seus torcedores, precisou lutar se deu justamente no Selecionado Nacional. Quando da edição da primeira Copa do Mundo, no Uruguai, ele seria nome mais do que certo na lista do técnico Píndaro de Carvalho, mesmo tendo então já 38 anos. Mas uma briga entre a CBD e a APEA (Associação Paulista de Esportes Athleticos) impediu que jogadores que atuavam em São Paulo fossem convocados.

Por fim, o último grande embate de sua vida segue-o até hoje: quantos gols Fried marcou? Mesmo artilheiro do Campeonato Paulista por nove vezes, não existe um consenso, pois há historiadores que afirmam terem sido 1.239, outros dizem que foram 1.329 e outros ainda que garantem que tal quantidade não chegou nem mesmo à casa dos mil.

De qualquer forma, isso é o que menos importa: o que vale mesmo é que a genialidade deste craque lhe confere, e isso ninguém discute, a denominação de "Primeiro Rei do Futebol".

Garrincha | *Nome*: Manuel Francisco dos Santos
Data e Local de Nascimento: 28.10.1933, em Pau Grande/RJ
Data e Local de Falecimento: 20.01.1983, no Rio de Janeiro/RJ

Para escrever sobre Garrincha talvez fossem necessárias apenas duas denominações: "O Anjo das Pernas Tortas" e "A Alegria do Povo". Este excepcional ponta-direita, considerado o melhor jogador de sua posição em toda a história do futebol pela FIFA, foi assim definido pelos jornalistas esportivos de sua época graças à genialidade de seus dribles e aos sorrisos que provocava em quem tinha a sorte de vê-lo em campo.

Mas Garrincha foi muito mais do que apenas dribles e sorrisos. Bicampeão mundial com a Seleção Brasileira, tornou-se o grande nome da Copa de 1962, no Chile, quando assumiu a condição de protagonista da equipe após a contusão que tirou Pelé do torneio. E o fez com a maestria inerente aos gênios: terminou a competição como campeão, artilheiro e melhor jogador.

Ídolo maior da torcida do Botafogo, Garrincha foi vítima do alcoolismo e faleceu pobre e muito jovem, com apenas 49 anos. Mas não sem antes fazer centenas e centenas de "joões", que é como ele chamava cada um de seus infelizes marcadores.

Gérson | *Nome*: Gérson de Oliveira Nunes
Data e Local de Nascimento: 11.01.1941, em Niterói/RJ

Campeão em 1958 e bicampeão em 1962, o futebol brasileiro vivia uma fase ainda melhor quatro anos depois. Por isso, não havia uma única pessoa na face da Terra que não apostasse cegamente na conquista do tri do Brasil na Copa do Mundo de 1966. Como sabemos, não foi o que aconteceu e, por isso, uma grande reformulação se deu na equipe, tanto que apenas seis jogadores que foram à Inglaterra acabaram chamados para o time que disputou o Mundial do México, quatro anos mais tarde: Brito, Tostão, Pelé, Jairzinho, Edu e... Gérson.

Isso se deu, claro, ao talento deste grande meia-esquerda. Dono de um forte chute e, principalmente, capaz de fazer longos lançamentos de enormes distâncias, foi uma unanimidade nacional durante toda a carreira, tornando--se ídolo em todos os clubes que defendeu.

Sua habilidade com o pé esquerdo era tão impressionante que lhe rendeu o apelido de "Canhotinha de Ouro".

Gilmar | *Nome*: Gylmar dos Santos Neves
Data e Local de Nascimento: 22.08.1930, em Santos/SP
Data e Local de Falecimento: 25.08.2013, em São Paulo/SP

Assim como acontece com jogadores que atuaram em um passado já um tanto quanto remoto, muitos são os especialistas que, se não contestam, ao menos questionam o fato de Gilmar ser considerado o melhor goleiro do Brasil em todos os tempos. Para esses, não é possível afirmar, com absoluta convicção, que ele não tenha sido superado por nomes como Félix, Leão, Taffarel ou Marcos, todos campeões mundiais como ele.

Então, analisemos apenas os números deste jogador, que começou no humilde Jabaquara, de Santos, no litoral paulista, e se tornou ídolo nos gigantes Corinthians e Santos:

- Oito vezes campeão paulista
- Cinco vezes campeão brasileiro
- Duas vezes campeão da Copa Libertadores da América
- Duas vezes campeão mundial interclubes
- Duas vezes campeão da Copa do Mundo

Se Gilmar foi ou não o melhor goleiro do Brasil em todos os tempos agora é você quem vai dizer.

Jairzinho | *Nome*: Jair Ventura Filho
Data e Local de Nascimento: 25.12.1944, no Rio de Janeiro/RJ

Quando todos perceberam que o fim da história de Garrincha na Seleção Brasileira se aproximava, a preocupação foi geral. Afinal, quem poderia substituir o gênio bicampeão do mundo? O que poucos sabiam é que o mesmo Botafogo, onde mais brilhou o eterno ponta-direita, preparava um substituto quase que à altura: Jairzinho.

Menos hábil, é verdade, mas tão rápido quanto e, acreditem, melhor finalizador do que o gênio das pernas tortas, ele soube ocupar muito bem a lacuna deixada por seu antecessor, tanto no Glorioso Clube da Estrela Solitária quanto na Canarinho, e ainda teve a vantagem de atuar não só aberto pela ponta, mas também mais centralizado.

Se na Copa do Mundo de 1966, com apenas 20 anos, ele fora como reserva de Mané, quatro anos mais tarde era o dono absoluto da camisa 7 no Mundial do México. E lá transformou-se no grande destaque da competição, terminando-a como campeão e único jogador a marcar gols em todas as partidas (neste ponto, igualou os feitos alcançados pelo húngaro Sárosi, em 1938, pelo uruguaio Ghiggia, em 1950, e pelo francês Just Fontaine, em 1958).

Tal desempenho lhe rendeu o apelido de "Furacão da Copa", pelo qual será eternamente conhecido.

Julinho | *Nome*: Júlio Botelho
Data e Local de Nascimento: 29.07.1929, em São Paulo/SP
Data e Local de Falecimento: 10.01.2003, em São Paulo/SP

O Maracanã estava abarrotado naquele 13.05.1959, dia em que o Brasil recebia amistosamente a Inglaterra. A expectativa geral era que a nossa Seleção pudesse vencer aqueles que se julgavam os inventores do futebol, algo até então inédito. Por isso, quando os alto-falantes anunciaram a escalação do ataque brasileiro, uma sonora vaia se ouviu: em vez de Garrincha, o titular da ponta-direita seria Julinho.

Até hoje não se sabe, ao certo, por que Vicente Feola sacou o carioca e colocou o paulista, mas isso nem acabou importando: mesmo sendo vaiado sempre que tocava na bola, o ponta recém-chegado da Fiorentina/ITA jogou demais, marcou o primeiro gol e deu o passe para o segundo na vitória brasileira por 2 x 0. E, dessa forma, entrou para a história como um dos quatro homens que conseguiram calar o Maracanã, ao lado do carrasco Ghiggia, do Papa João Paulo II e do cantor Frank Sinatra.

Outro detalhe importante da carreira deste excelente jogador foi o fato de não ter aceitado a convocação para a Copa do Mundo de 1958, justamente porque, à época, atuava na equipe italiana, e por isso não se julgou digno de ocupar o lugar de um outro atleta que jogava no Brasil. Por ironia, foi só por isso que Garrincha acabou convocado, já que o titular foi, inicialmente, o flamenguista Joel.

Julinho, que começou e brilhou na Portuguesa e fez história no Palmeiras, é também ídolo na Fiorentina/ITA, que em 1996 o elegeu o seu melhor jogador em todos os tempos.

Júnior | *Nome*: Leovegildo Lins da Gama Júnior
Data e Local de Nascimento: 29.06.1954, em João Pessoa/PB

A discussão sobre quem foi o melhor lateral-esquerdo do futebol brasileiro passa por alguns nomes, como Nílton Santos, Roberto Carlos e até mesmo Marcelo. Mas existem especialistas e torcedores, e não são poucos, que inserem nesta seleta relação o nome de Júnior.

E têm razão os que assim pensam. Dono de muita habilidade e de um cruzamento quase perfeito, ele foi um dos primeiros laterais a serem igualmente efetivos, tanto na marcação quanto no apoio. Talvez por ser destro, conseguia ter mais facilidade atuando pelo lado esquerdo do gramado, e foi como lateral-esquerdo que chegou à Seleção Brasileira e brilhou na Copa do Mundo de 1982, na Itália.

Assim que trocou o Flamengo (clube em que é o jogador que mais vezes atuou, com 872 partidas) pelo Torino/ITA, passou a atuar como um meia de armação e também nesta posição conseguiu sucesso, disputando o Mundial de 1986 como titular do Brasil e faturando, em seu retorno à Gávea, o último dos seus quatro títulos brasileiros, em 1992.

Kaká | *Nome*: Ricardo Izecson dos Santos Leite
Data e Local de Nascimento: 22.04.1982, em Gama/DF

Ao contrário da esmagadora maioria dos jogadores do Brasil, Kaká não é oriundo das camadas socioeconômicas menos favorecidas. Nascido em uma família de classe média alta, ele foi muito bem educado, aprendeu outros idiomas e acabou também por isso sendo sempre apontado como um dos atletas mais cultos que o futebol brasileiro já produziu.

Mas há um outro detalhe que o iguala ou, em muitos casos, o faz superar seus conterrâneos e também companheiros de profissão: o talento. Revelado pelas categorias de base do São Paulo, logo em seus primeiros jogos no time profissional, quando tinha apenas 18 anos, já chamava a atenção pela visão de jogo, pela qualidade no passe e também pelo bom chute, características que rapidamente o transformaram em ídolo dos torcedores.

Do Morumbi para o Milan/ITA foi apenas uma questão de tempo, e, na Europa, Kaká conseguiu ainda mais sucesso. Tanto que, em 2007, foi eleito o melhor jogador do mundo pela FIFA e, dois anos depois, se transferiu para o poderoso Real Madrid/ESP.

O mesmo sucesso se esperava dele na Seleção Brasileira, pela qual fora campeão mundial em 2002, mesmo sem ter participado efetivamente da campanha, mas com a camisa amarela o craque não conseguiu desempenhar o futebol visto nos clubes que defendeu.

Leão | *Nome*: Emerson Leão
Data e Local de Nascimento: 11.07.1949, em Ribeirão Preto/SP

Poucas vezes o futebol brasileiro teve um jogador com tamanha personalidade quanto Emerson Leão. E isso, claro, resultou em muitos mais críticos do que fãs do goleiro, que várias vezes teve seu desempenho como atleta analisado (erroneamente, claro) pela ótica pessoal, e não profissional.

Como é este o ponto de vista que aqui nos importa, podemos afirmar, sem medo algum de incorrer em erro, que Leão foi um dos mais completos camisas 1, não só do Brasil, mas sim de todo o mundo. São lendárias as atuações pelos clubes que defendeu, sobretudo o Palmeiras, onde é o segundo jogador que mais vezes atuou (617 partidas) e pelo qual faturou boa parte de seus títulos. Leão jamais assumia um erro quando levava um gol. Isso lhe gerou o jocoso apelido de "Jesus Cristo", já que toda vez em que era vencido abria os braços e reclamava com seus zagueiros.

Sua inquestionável soberania na posição nos anos 70 e 80 o levaram não só à Seleção Brasileira, como também a quatro Copas do Mundo (e só não foram cinco porque, em 1982, estava brigado com o técnico Telê Santana). Líder nato, foi o capitão brasileiro nos Mundiais da Alemanha, em 1974, e da Argentina, em 1978.

Leônidas | *Nome*: Leônidas da Silva
Data e Local de Nascimento: 06.09.1913, no Rio de Janeiro/RJ
Data e Local de Falecimento: 24.01.2004, em Cotia/SP

Ao contrário do que muitos acreditam, não foi Leônidas quem inventou a bicicleta no futebol. Tal jogada, que resumidamente pode ser descrita como jogar o corpo inteiro para o ar e, de costas para o gol, chutar a bola com um dos pés, foi criada por outro brasileiro, Petronilho de Brito. Mas coube ao "Diamante Negro" a capacidade de aperfeiçoar este que é um dos lances mais plásticos do mundo da bola.

Como viram, o centroavante que brilhou em clubes como Flamengo e São Paulo, entre outros, e também na Seleção Brasileira, pela qual disputou e foi o artilheiro da Copa do Mundo de 1938 com sete gols, era tão excepcional que chegou a ser comparado a uma pedra preciosa. Também, pudera: os arranques para o ataque, o posicionamento na área e a quase inacreditável capacidade de finalização o tornaram um dos mais completos comandantes de ataque de todos os tempos. Leônidas foi infinitamente maior do que a jogada que aperfeiçoou.

Luís Pereira | *Nome*: Luís Edmundo Pereira
Data e Local de Nascimento: 21.06.1949, em Juazeiro/BA

Existem jogadores cujos nomes estarão para sempre ligados a um clube, e um destes é, sem sombra de dúvida, o do zagueiro Luís Pereira. Integrante de qualquer seleção dos melhores atletas do Palmeiras em todos os tempos, o "Chevrolet", como era carinhosamente chamado, desfruta de tal condição também em termos de futebol nacional e, sem exagero, há aqueles que defendem sua escalação como o melhor zagueiro-central de todos os tempos em todo o mundo.

Nada do que foi escrito no parágrafo anterior se torna superlativo a Luís Pereira. Muito embora defensor, era incapaz de um pontapé desleal. Fazia faltas, claro, mas com uma elegância de dar inveja a muito craque do meio-campo. Além disso, valendo-se do fato de ter sido atacante antes de se profissionalizar, não raro aparecia na frente e marcava gols importantes e decisivos.

Luís Pereira teve duas passagens pelo Verdão: na primeira, entre 1968 e 1975, consolidou-se como titular absoluto da Seleção Brasileira que foi à Copa da Alemanha, em 1974; na segunda, entre 1981 e 1984, figurou em equipes fracas e, na maioria das vezes, sem condições reais de brigar por títulos. Porém, ainda assim foi o líder e o maior ídolo da torcida em razão do amor que sempre mostrou pela camisa verde e branca.

Vale lembrar que entre as duas passagens que teve pelo Alviverde Paulista, o zagueiro brilhou no Atlético de Madrid/ESP, onde até hoje desfruta da condição de ídolo dos "Colchoneros".

Marcos | *Nome*: Marcos Roberto Silveira Reis
Data e Local de Nascimento: 04.08.1973, em Oriente/SP

Também chamado de "Santo", apelido que ganhou da torcida palmeirense, mas do qual nunca gostou, este goleiro atingiu o patamar digno de grandes ídolos de um passado remoto, que, assim como ele, conseguiram ser respeitados e admirados, inclusive, por torcidas rivais. Também, pudera: além de reconhecidamente bom caráter, foi o titular da Seleção Brasileira penta-campeã do mundo, em 2002, feito que de certa forma — ou melhor: de forma certa — colocou acima do bem e do mal.

Inegavelmente, porém, é com o Palmeiras, único clube que defendeu como profissional, que sua relação será eterna. Dentro de campo, raros foram os jogadores que vestiram a camisa do time com tanto talento; fora dele, ainda mais raros foram os que deixaram a paixão se sobrepor à razão.

Existem atletas que transcendem o amor a um clube. São raros, é verdade, mas existem. "São" Marcos é um deles.

Nelinho | *Nome*: Manoel Rezende de Mattos Cabral
Data e Local de Nascimento: 26.07.1950, no Rio de Janeiro/RJ

Poucos eram os adversários que tinham coragem de formar a barreira quando Nelinho se preparava para cobrar uma falta. E, embora nenhum deles admi-tisse, os que conseguiam vencer o medo rezavam para que o craque colocasse em ação o seu reconhecido talento na hora de chutar e fizesse com que a bola desviasse da linha humana à sua frente.

E não era à toa, não: este lateral-direito, que marcou época no Cruzeiro, no Grêmio e no Atlético Mineiro, batia com tamanha qualidade, potência e um "sobrenatural" efeito na bola, que, muitas vezes, nem mesmo os torcedores e, claro, os goleiros adversários conseguiam acompanhar sua trajetória. Que o diga o italiano Dino Zoff, que, comenta-se, até hoje tenta achar a bola que Nelinho chutou e se transformou no gol de empate do Brasil na disputa pelo terceiro lugar da Copa do Mundo de 1978.

Neymar Jr. | *Nome*: Neymar da Silva Santos Júnior
Data e Local de Nascimento: 05.02.1992, em Mogi das Cruzes/SP

No passado, era comum dizer que a cada ano nascia um novo craque no fute-bol brasileiro. Tal afirmação, hoje, tornou-se um pouco exagerada, mas ainda assim é inegável que continuemos sendo o melhor e maior celeiro de jogadores do planeta.

E uma boa prova disso é Neymar, garoto que despontou no Santos e com gigantesca rapidez se tornou um dos mais completos nomes do esporte. Dono de uma habilidade comparável aos melhores dribladores que já se viu e com excelente poder de definição, ele encanta o mundo por onde quer que jogue ou tenha jogado — na Vila Belmiro, em Barcelona, em Paris ou em qualquer outra parte do planeta com a camisa da Seleção Brasileira.

Por falar nela, após liderar a equipe que, enfim, conquistou a medalha de ouro nas Olimpíadas (2016), só falta a este grande craque um título de Copa do Mundo. Ele já teve três oportunidades (2014, 2018 e 2022), mas desperdiçou todas. Porém, como ainda é relativamente jovem, outras virão e, com elas, mais dribles, mais jogadas geniais, mais golaços e — quem sabe? — também um título mundial.

Neymar ainda dará muitas alegrias ao torcedor brasileiro

Nilton Santos | *Nome*: Nilton dos Reis Santos
Data e Local de Nascimento: 16.05.1925, no Rio de Janeiro/RJ
Data e Local de Falecimento: 27.11.2013, no Rio de Janeiro/RJ

"Volta, seu maluco! Volta!!!"

De nada adiantou Vicente Feola gritar para que Nilton Santos retornasse à defesa naquele jogo contra a Áustria, na Copa do Mundo de 1958. O lateral-esquerdo da Seleção Brasileira não deu a menor bola para o chefe: avançou até a linha de fundo, tabelou com o centroavante Mazzola e chutou forte, cruzado e por cobertura, marcando, aos 4 minutos da etapa complementar, o segundo gol da vitória por 3 x 0.

A reação do treinador brasileiro tem explicação: naquela época, a linha de meio-campo era o ponto máximo ao qual um jogador de defesa poderia chegar. O apoio ao ataque, essencial a todo e qualquer lateral, era algo inimaginável no futebol de então. Mas também por isso entrou para a história: foi ele o primeiro jogador de sua posição a quebrar tal paradigma e, se não constantemente, pelo menos vez ou outra se transformar em mais um atacante pelo lado canhoto do gramado.

Considerado pela FIFA o melhor lateral-esquerdo do planeta em todos os tempos, Nilton Santos — apelidado de "Enciclopédia do Futebol" devido a seus vastos conhecimentos sobre o esporte — é um dos maiores ídolos do Botafogo, o Glorioso de General Severiano, o único clube que ele defendeu durante toda a sua carreira.

Pelé | *Nome*: Édson Arantes do Nascimento
Data e Local de Nascimento: 23.10.1940, em Três Corações/MG
Data e Local de Falecimento: 29.12.2022, em São Paulo/SP

Pelé: jamais alguém foi melhor. E nem será

O que eu posso lhes dizer sobre Pelé?

Tudo o que eu escrevesse neste espaço não seria novidade, pois ele está acima de qualquer frase, de qualquer palavra, de qualquer letra que se possa imprimir sobre sua genialidade. Falar sobre o Rei do Futebol ou mesmo sobre o Atleta do Século 20 é simplesmente repetir uma série de informações que inúmeros jornalistas, escritores e poetas já fizeram.

O que eu poderia acrescentar à biografia de alguém que ganhou três Copas do Mundo, duas Copas Libertadores da América, dois Mundiais Interclubes, 10 Campeonatos Paulistas, quatro Torneios Rio-São Paulo, seis Campeonatos Brasileiros, que foi 11 vezes artilheiro do Paulistão, duas vezes o máximo goleador do Brasileirão e, por fim, também eleito, tanto pela FIFA quanto pela IFFHS (Federação Internacional de História e Estatísticas do Futebol), o melhor jogador de todos os tempos?

Por isso, prefiro agora resumir tudo o que ele representa com uma frase genial dita, certa vez, pelo também genial jornalista Armando Nogueira: "Se Pelé não tivesse nascido homem, teria nascido bola".

Segundo a prefeitura de Santos/SP, mais de 230 mil pessoas compareceram ao velório do eterno craque.

Pepe | *Nome*: José Macia
Data e Local de Nascimento: 25.02.1935, em Santos/SP

Pepe fala em voz alta, para quem quiser ouvir: "Eu sou o maior artilheiro humano da história do Santos". Obviamente, tal frase soa como absurda, já que todos sabem que o jogador que mais gols marcou, não só pelo Peixe, mas também por qualquer outra equipe do mundo, foi Pelé. Mas é aí que está o detalhe: para ele, o Rei do Futebol não pode ser levado em conta, já que, como costuma dizer, "Pelé não é deste planeta" (optamos pelo verbo no presente, afinal o Rei é eterno).

Brincadeiras à parte, o fato é que este ponta esquerda foi mesmo um grande goleador. Segundo dados oficias do clube paulista, único que defendeu durante toda a sua carreira, Pepe balançou as redes em 403 oportunidades, o que o torna o vice-líder nesta questão — atrás, claro, somente de um tal Édson Arantes do Nascimento.

Tanto talento rendeu ao jogador o status de bicampeão do mundo pela Seleção Brasileira, em 1958 e 1962, da qual seria titular absoluto em ambas as oportunidades. Mas uma forte pancada no tornozelo, em um amistoso contra a Fiorentina/ITA, exatamente uma semana antes da estreia na Suécia, e uma torção no joelho, em um amistoso no Morumbi contra o Paraguai, pouco antes da viagem ao Chile, o relegaram *apenas* à condição de reserva de Zagallo em ambas as Copas do Mundo.

Raí | *Nome*: Raí Souza Vieira de Oliveira
Data e Local de Nascimento: 15.05.1965, em Ribeirão Preto/SP

Certa vez, o ex-craque corintiano Sócrates concedia uma entrevista em que falava sobre sua vida pessoal e familiar. De repente, sem que o repórter sequer soubesse do fato, ele afirmou: "Se você acha que eu sou bom, precisa ver meu irmão caçula jogar. Ele está nos juniores do Botafogo/SP, e, quando passar para o profissional, todo mundo vai ver que eu estou certo. Ele será muito melhor do que eu fui".

Exagero do "Doutor"? Sem dúvida. Mas a verdade é que o tal irmãozinho era mesmo bom de bola. Tanto que sua passagem pelo time principal do Tricolor de Ribeirão Preto e, logo em seguida, pela Ponte Preta, durou muito pouco. Rapidamente ele foi descoberto pelo São Paulo e iniciou no Morumbi sua vitoriosa carreira no futebol, que lhe rendeu, entre outros, duas Libertadores e dois Mundiais Interclubes. Seu destino seguinte foi o Paris Saint-Germain, onde até hoje é reverenciado como um dos melhores jogadores que vestiram a camisa do clube parisiense.

Pela Seleção Brasileira, foi o camisa 10 e seria o titular absoluto na campanha do tetracampeonato, em 1994, mas uma inexplicável queda de rendimento ainda na fase de grupos o fez perder o lugar no time para Mazinho.

Reinaldo | *Nome*: José Reinaldo de Lima
Data e Local de Nascimento: 11.01.1957, em Ponte Nova/MG

Ele é o Rei do Atlético Mineiro, e tal qualificação não se explica apenas pelo trocadilho com as três primeiras letra do seu nome. Reinaldo é realmente considerado o melhor centroavante que já vestiu a camisa do Galo e, com toda a justiça, também se encontra no rol dos mais técnicos e habilidosos comandantes de ataque de toda a história do futebol brasileiro.

Numa época em que os camisas 9 costumavam ser grandalhões e pesados, este jogador de concepção física bastante comum se destacava pela agilidade e pela rapidez de raciocínio com que concluía as jogadas a gol. E como tinha uma excelente percepção dos lances, sempre se posicionava corretamente. O resultado disso foram os mais de 250 gols que fez pelo alvinegro de BH e sua participação como titular da Seleção Brasileira, terceira colocada na Copa do Mundo da Argentina, em 1978.

Reinaldo também fez parte de toda a preparação para o Mundial da Espanha, quatro anos mais tarde, mas seguidas e graves contusões no joelho, além de o deixarem de fora da lista final de Telê Santana, também foram responsáveis pelo precoce encerramento de sua carreira, quando contava apenas 31 anos.

Renato Gaúcho | *Nome*: Renato Portaluppi
Data e Local de Nascimento: 09.09.1962, em Guaporé/RS

Há clubes cujo maior ídolo da torcida não foi, necessariamente, o melhor jogador. Há clubes em que o melhor jogador não foi, necessariamente, o maior ídolo da torcida. E há clubes, também, em que tanto o melhor jogador quanto o maior ídolo da torcida são a mesma pessoa.

Isso acontece com Renato Gaúcho, indiscutivelmente o maior craque e o grande xodó de todos os torcedores do Grêmio. Ponta-direita à moda antiga, driblava com enorme facilidade, cruzava com perfeição e, se isso já não fosse muito, ainda por cima possuía uma gigantesca qualidade na hora de concluir a gol.

Embora tenha obtido grande destaque também em outras equipes, como o Fluminense e o Flamengo, foi no Tricolor Gaúcho que viveu o ápice de sua carreira, faturando a Copa Libertadores da América e o Mundial Interclubes em 1983.

Rivaldo | *Nome*: Rivaldo Vítor Borba Ferreira
Data e Local de Nascimento: 19.04.1972, em Paulista/PE

Em 1992, o pequeno Mogi Mirim chamou a atenção de todos com um estilo de jogo que se assemelhava ao utilizado pela Holanda na Copa do Mundo de 1974. Por isso, a tática adotada pelo técnico Oswaldo Alvarez, o Vadão, levou o time da cidade homônima a ser, ironicamente, apelidado de "Carrossel Caipira". Pois bem: o grande nome daquela equipe, que chegou à fase semifinal do Campeonato Paulista, era um jovem esguio e extremamente talentoso chamado Rivaldo.

Mas a equipe interiorana era pequena demais para o talento deste craque. Por isso, logo no ano seguinte, ele se transferiu por empréstimo ao Timão e, não tendo os direitos econômicos adquiridos ao final da temporada, acabou indo para o Palmeiras. No grande rival do Corinthians, ganhou o país, faturando um Brasileirão e dois Paulistões.

Chegava a hora de ganhar o mundo, e este meio-campista de forte chute de longa distância e enorme facilidade na hora de armar as jogadas ofensivas partiu para a Espanha — primeiro para o La Coruña e, em seguida, para o Barcelona, clube pelo qual mais vezes atuou e mais destaque obteve, sendo inclusive eleito pela FIFA o melhor jogador do planeta em 1999. Depois, foi para o Milan/ITA, onde também se destacou.

Rivaldo disputou duas Copas do Mundo, sendo vice em 1998 e campeão em 2002, quando, para muitos, brilhou até mais do que Ronaldo.

Rivellino | *Nome*: Roberto Rivellino
Data e Local de Nascimento: 01.01.1946, em São Paulo/SP

O inventor do drible "elástico", o dono da "patada atômica", o "Reizinho do Parque" ou o "Curió das Laranjeiras".

São muitas as definições que podem ser aplicadas a Rivellino, um dos mais completos jogadores de toda a história do futebol mundial. Cria das categorias de base do Corinthians, é um dos maiores ídolos da Fiel, mesmo sem jamais ter conseguido um título expressivo sequer durante os nove anos em que vestiu a camisa branca e preta.

Companheiro de Pelé na campanha do tri, no México, quando atuou mais aberto pela esquerda, acabou herdando a camisa 10 assim que o Rei anunciou sua despedida da Seleção Brasileira, em 1972. A partir de então, consolidou-se como o maior craque brasileiro e também a maior esperança do tetracampeonato mundial nas Copas de 1974 e 1978, e o fato de não as ter obtido não diminui em nada a importância que teve para o futebol.

A maior prova disso, além do respeito de que desfruta até hoje, foi o fato de ter sido apontado pelo argentino Maradona como sua maior inspiração em seus tempos de menino.

Roberto Carlos | *Nome*: Roberto Carlos da Silva Rocha
Data e Local de Nascimento: 10.04.1973, em Garça/SP

Se mesmo atuando em uma grande equipe do planeta não costuma ser nada fácil ganhar uma chance na Seleção Brasileira, imagine então se o atleta jogar numa pequena e quase desconhecida equipe do interior. Mas quando este jogador tem um talento admirável, isso se torna amplamente possível. Que o diga Roberto Carlos, chamado pela primeira vez para defender o Selecionado Nacional quando ainda defendia o União São João, de Araras/SP.

O sucesso que fez com a camisa verde e branca do humilde time lhe deu a chance de vestir outra camisa alviverde, por sinal bem mais famosa: a do Palmeiras. Sob o comando de Vanderlei Luxemburgo, Roberto Carlos se firmou não apenas como titular da equipe, pela qual se sagrou bicampeão paulista e brasileiro, dentre outros títulos, mas também como dono absoluto da lateral esquerda do Brasil, a qual defendeu em três Copas do Mundo (campeão em 2002) e pela qual é o segundo a mais vezes ter atuado, com 125 jogos.

Depois do Verdão, este jogador de chute fortíssimo se transferiu para a Internazionale/ITA e, depois, para o Real Madrid/ESP, clube no qual jogou por mais tempo — 11 anos — e ganhou seus principais títulos. Em seguida, defendeu o Fenerbahçe/TUR, o Corinthians e o Anzhi/RUS, mas sem o mesmo destaque.

Roberto Dinamite | *Nome*: Carlos Roberto de Oliveira
Data e Local de Nascimento: 13.04.1954, em Duque de Caxias/RJ

Alguém que disputa mais de 1.000 partidas e marca quase 700 gols por uma mesma equipe não pode mesmo ser considerado nada menos do que o maior jogador da história deste clube. E é exatamente isso o que acontece com Roberto Dinamite no Vasco da Gama.

Revelado no clube de São Januário, este centroavante já era destaque nos campeonatos das categorias de base. E logo em sua estreia no time de cima, em 1971, marcou um golaço numa vitória sobre o Internacional. No dia seguinte, o jornalista Aparício Pires, do *Jornal dos Sports*, escreveu: "Garoto--dinamite detona no Maracanã". Pronto: o apelido pegou e o acompanhou durante toda a sua brilhante carreira, que contou com passagens também pelo Barcelona/ESP e pela Portuguesa.

Totalmente identificado com o Gigante da Colina, tornou-se presidente do clube entre 2008 e 2013.

Rogério Ceni | *Nome*: Rogério Mücke Ceni
Data e Local de Nascimento: 22.01.1973, em Pato Branco/PR

Se marcar um gol já é algo incomum a goleiros, imaginem então marcar 131 (sendo 129 em jogos oficiais). Pois foi exatamente isso que conseguiu Rogério Ceni que, graças a perfeitas cobranças de faltas (61 gols) e pênaltis (69 gols)

— e um com a bola rolando — entrou para a história como o camisa 1 que mais vezes balançou as redes adversárias em toda a história do futebol. Só para se ter uma ideia, o segundo colocado é o paraguaio Chilavert, que fez... 62 — ou seja: menos da metade.

Mas ele foi muito mais do que *apenas* o maior goleiro-artilheiro de todos os tempos. Com 1.132 partidas pelo time principal do São Paulo, detém o recorde mundial de atleta que mais vezes atuou por um mesmo clube, superando, inclusive, Pelé e os seus 1.116 jogos pelo Santos — e também o que mais vezes usou a braçadeira de capitão, 982. M1TO!

E pensar que tudo isso demorou muito para começar. Ceni chegou ao Morumbi aos 17 anos, em 1990, vindo do Sinop, do Mato Grosso. Após três anos nas equipes de base, foi promovido à equipe principal, mas só conseguiu se efetivar como dono da posição após a saída de Zetti, em 1997. A partir de então, no entanto, foi titular absoluto da camisa 1 são-paulina, faturando três Campeonatos Paulistas, três Brasileiros, duas Libertadores, dois Mundiais Interclubes, uma Copa Sul-Americana e uma infinidade de outros títulos.

Diante de um currículo como este, Ceni nem precisaria ter feito tantos gols.

Romário | *Nome*: Romário de Souza Faria
Data e Local de Nascimento: 29.01.1966, no Rio de Janeiro/RJ

Dizem que o futebol é o esporte mais democrático porque, para praticá-lo, não é preciso ser necessariamente veloz, ou alto, ou magro. Dependendo da posição e, sobretudo, do talento de cada um, pode-se muito bem se tornar um jogador mesmo sendo lento, ou baixo, ou até mesmo um pouco gordinho.

Se nunca esteve acima do peso, Romário, por outro lado, atendeu as outras duas colocações acima durante toda a sua maravilhosa carreira. E talvez o fato de não ser veloz e estar muito longe de ser alto — tem apenas 1,66m — o tenha ajudado em sua performance em campo, pois, sem dúvida, ele foi o centroavante que mais gols fez utilizando-se de uma menor faixa do gramado, e também o comandante de ataque que mais vezes balançou as redes adversárias com chutes de bico.

Por falar em gols, ele é também um dos raros casos reconhecidos pela FIFA de um atleta que tenha marcado mais de 1.000 gols em sua carreira, outro dado que o coloca em evidência na história do esporte. E se tudo isso já não bastasse, foi campeão e o maior destaque da Copa de 1994, nos Estados Unidos, além de naquele ano ter sido escolhido pela FIFA o maior craque do planeta.

O "Gênio da Grande (e da Pequena) Área" pode não ter sido o melhor jogador de todos os tempos, mas com certeza está entre os melhores baixinhos de todos os tempos.

Ronaldinho Gaúcho | *Nome*: Ronaldo de Assis Moreira
Data e Local de Nascimento: 21.03.1980, em Porto Alegre/RS

Houve uma época — saudosa época, por sinal — que o futebol era muito mais bonito do que o de hoje. Eram tempos em que vários jogadores desfilavam sua técnica pelos gramados do mundo e encantavam torcedores com dribles desconcertantes, passes milimétricos e gols tão lindos que chegavam a fazer com que a galera ficasse sem fôlego.

E um dos grandes protagonistas daquele futebol foi Ronaldinho Gaúcho. Desde que começou a carreira, no Grêmio, e principalmente após sua ida para a Europa, onde defendeu com enorme sucesso gigantes como o Paris Saint-Germain/FRA, o Barcelona/ESP e o Milan/ITA, este meia ofensivo de extraordinária habilidade conquistou fãs incondicionais até mesmo entre torcedores adversários (era comum ser aplaudido de pé pela torcida rival), sendo reconhecido em todo o planeta como um ídolo mundial. Coadjuvante pra lá de luxuoso na equipe brasileira pentacampeã mundial em 2002, foi eleito duas vezes consecutivas pela FIFA o melhor jogador do mundo (2004 e 2005).

De volta ao futebol brasileiro, entrou para a história do Atlético Mineiro ao conduzir à equipe ao seu primeiro — e até 2019 único — título da Copa Libertadores da América, em 2013.

Ronaldo | *Nome*: Ronaldo Luís Nazário de Lima
Data e Local de Nascimento: 22.09.1976, no Rio de Janeiro/RJ

Ele é conhecido pelo apelido de "Fenômeno".

Ele, aos 17 anos, foi campeão mundial pela Seleção Brasileira na Copa do Mundo de 1994.

Ele, aos 21 anos, já havia defendido Cruzeiro, PSV/HOL e Barcelona/ESP, e acabava de assinar com a Internazionale/ITA.

Ele, aos 23 anos, já havia marcado mais de 200 gols como profissional.

Ele, aos 20 anos, aos 21 anos e depois aos 24 anos, foi eleito o melhor jogador do planeta pela FIFA.

Ele, aos 26 anos, depois de seguidas e seríssimas lesões que o deixaram afastado dos gramados por quase três anos, foi pentacampeão mundial com o Brasil em 2002.

Ele, aos 26 anos, foi campeão mundial interclubes pelo Real Madrid/ESP.

Ele, aos 35 anos, encerrou sua carreira com mais de 600 gols e na condição de segundo maior artilheiro da Seleção Brasileira, com 67 gols. À sua frente, só Pelé.

Ele, como se vê, não por acaso tem o apelido que tem.

Serginho | *Nome*: Sérgio Bernardino
Data e Local de Nascimento: 23.12.1953, em São Paulo/SP

Pode um jogador de futebol atuar quase o tempo todo de costas para o gol e ainda assim marcar centenas deles? Pode, ou pelo menos pôde. Serginho, o "Chulapa", foi um artilheiro meio que às avessas: os goleiros adversários quase nunca viam seu rosto, mas jamais se esqueceram do número 9 estampado em sua camisa.

Ele tinha tudo para se dar mal na vida: pobre, sem a instrução escolar adequada, temperamento pra lá de difícil e atitudes, às vezes, violentas. Ele era assim mesmo: quando se sentia prejudicado, não pensava duas vezes em responder à altura, fosse com gols ou usando seus pés para fins, digamos, menos gloriosos. E quando tentaram transformá-lo no bom moço que jamais havia sido (e que tampouco almejou), Serginho não conseguiu ser o mesmo — como na Copa do Mundo de 1982.

Mas se podemos questionar algumas ações com a bola parada, quando ela rolou Serginho foi indiscutivelmente único. Para piorar ainda mais a vida de seus marcadores, era daqueles que pareciam ser grossos, inábeis, mas que não perdoavam quando a bola lhe chegava aos pés. Todo mundo sabia o que ele faria: de costas a dominaria, giraria o corpo para um dos lados e chutaria forte, geralmente no canto rasteiro do goleiro. Mesmo assim, raríssimos foram os que conseguiram evitar o previsível fim dessa jogada.

O São Paulo se tornou o grande responsável por tudo o que ele fez de bom, ao futebol e a si mesmo. E os 242 gols que marcou com a camisa tricolor, inatingíveis até hoje, tornaram-se a paga pelo acolhimento àquele rebelde jovem que um dia chegou ao Morumbi, nos anos 70. Depois se destacou, também, no Santos.

Mas até hoje é o torcedor são-paulino que mais sorri, quando se lembra daquele homem que ganhou a vida dando as costas para o gol.

Sócrates | *Nome*: Sócrates Brasileiro Sampaio de Souza Vieira de Oliveira
Data e Local de Nascimento: 19.02.1954, em Belém/PA
Data e Local de Falecimento: 04.12.2011, em São Paulo/SP

Certa vez, perguntaram ao ex-jogador Casagrande como seria se Sócrates tivesse sido um atleta tão completo quanto o foi como jogador de futebol. O amigo e eterno parceiro não pensou duas vezes ao responder: "Teria sido uma grande covardia".

Esta frase resume muito bem o que foi para o futebol este extraordinário jogador. Do alto de seus 1,91m, de seu corpo magrelo, desengonçado até, descia o talento em sua forma mais cristalina. "Magrão" ou "Doutor" Sócrates, se preferirem, já que se formou em Medicina, foi um dos raros homens que travou com a bola um relacionamento íntimo, mesmo quando a tocava de forma quase displicente, de calcanhar. O que para os céticos poderia parecer apenas mais uma jogada de efeito, para os crédulos nos deuses do futebol era como uma oração.

Ídolo de uma geração inteira de torcedores do Corinthians, sempre se notabilizou por deixar claras suas posições políticas, sendo o maior líder do movimento batizado de "Democracia Corintiana", no qual os atletas tinham o mesmo poder de decisão que o treinador ou até mesmo o presidente do clube.

A seus pés também ficou toda uma Nação, fosse ela corintiana, flamenguista ou brasileira, quando, ao lado de Zico e Falcão, entre outros, devolveu à nossa Seleção a magia que sempre lhe fora inerente. Ele fez o brasileiro se lembrar de Pelé e Garrincha, e sonhar com a volta do futebol-arte. O título não veio naquela Copa de 1982, mas se hoje, tanto tempo depois, ainda se fala em Sócrates, é porque, ao contrário do ditado, valeram mais os meios do que os fins.

Taffarel | *Nome*: Cláudio André Mergen Taffarel
Data e Local de Nascimento: 08.05.1966, em Santa Rosa/RS

Desde que Emerson Leão passou a ser preterido pelos treinadores da Seleção, o Brasil ficou à procura de um novo titular absoluto para defender a sua meta.

Os primeiros testados, João Leite, Raul e Waldir Peres, até chegaram a ser titulares (o são-paulino, por sinal, foi o dono da posição na Copa de 1982), mas não se firmaram. Depois, o eterno camisa 1 de Palmeiras, Vasco, Grêmio e outras equipes até voltou a ser chamado e foi o terceiro da posição no Mundial de 1986; contudo, nem Carlos e nem Paulo Victor, os preferidos por Telê Santana no México, conseguiram manter a posição.

A situação já começava a causar preocupação generalizada quando, no Internacional, surgiu um goleiro diferente dos demais: eram raríssimas as defesas plásticas que praticava, pois estava sempre muito bem posicionado. Outro ponto positivo eram as perfeitas saídas do gol, tanto pelo alto (embora tivesse *apenas* 1,81m) quanto de encontro com os adversários. Por fim, sua grande capacidade na hora de defender pênaltis também chamava a atenção.

Após ser medalha de ouro nos Jogos Pan-Americanos de 1987 e prata nas Olimpíadas de Seul, em 1988 (competição na qual foi eleito o melhor jogador do time), ele chegou à equipe principal e, a partir de então, o Brasil voltou a ter um dono absoluto da camisa 1 por muitos anos. Tetracampeão em 1994, Taffarel permaneceu na Seleção Brasileira até o ano seguinte.

Tostão | *Nome*: Eduardo Gonçalves de Andrade
Data e Local de Nascimento: 25.01.1947, em Belo Horizonte/MG

Foi por muito pouco que o mundo não se viu privado da genialidade deste meio-campista ofensivo. Em 1969, durante uma partida contra o Corinthians, Tostão levou uma forte bolada no olho esquerdo e sofreu um descolamento de retina que quase o deixou de fora da Copa do Mundo de 1970, quando atuou como falso centroavante.

Para a sorte do Cruzeiro, clube onde começou e se profissionalizou, e da Seleção Brasileira, ele conseguiu se recuperar totalmente, brilhou no México e deu sequência à carreira, transferindo-se para o Vasco da Gama em 1972. Mas não ficou por muito tempo em São Januário: ainda durante seu primeiro ano, uma inflamação no mesmo olho operado o obrigou a encerrar a carreira com apenas 26 anos. Não fosse isso, certamente teria sido titular na Copa da Alemanha, em 1974.

Mesmo assim, Tostão — que após pendurar as chuteiras se formou em Medicina — é o maior artilheiro da história da Raposa, com 242 gols.

Vavá | *Nome*: Edvaldo Izídio Neto
Data e Local de Nascimento: 12.11.1934, em Recife/PE
Data e Local de Falecimento: 19.01.2002, no Rio de Janeiro/RJ

Disputar 20 partidas pela Seleção Brasileira é um feito elogiável, mas, cá entre nós... já foi obtido por centenas de jogadores. Marcar 15 gols pela Seleção Brasileira é outro feito admirável, mas... já foi obtido por dezenas de jogadores. Contudo, vencer duas Copas do Mundo seguidas e também balançar as redes nas duas finais, apenas quatro jogadores, até hoje, conseguiram: Pelé, Breitner, Zidane e... Vavá.

Este centroavante, que fez história no Sport, no Vasco e também no Palmeiras, foi o dono do comando do ataque brasileiro nos Mundiais de 1958 e 1962, marcando nove gols em partidas válidas por Copas do Mundo. Fisicamente muito forte, tinha o tórax avantajado, o que originou o apelido pelo qual foi conhecido durante toda a sua vida: "Peito de Aço".

Zico | *Nome*: Arthur Antunes Coimbra
Data e Local de Nascimento: 03.03.1953, no Rio de Janeiro/RJ

Zico, um dos maiores craques que o mundo já conheceu

"Ao longo dos anos, o jogador que mais se aproximou de mim foi Zico."

A frase acima foi dita por ninguém menos do que o Rei do Futebol, em 2003, durante entrevista a um programa de TV. Portanto, de acordo com

Pelé, foi o maior craque da história do Flamengo — e não o argentino Maradona, como muitos afirmam — o segundo maior jogador de todos os tempos.

O Atleta do Século 20 tem lá os seus motivos para pensar dessa forma. Zico encantou todo o planeta desde que deu os primeiros chutes numa bola de futebol, no começo dos anos 70. Devido à sua franzina forma física, responsável pelo apelido de "Galinho de Quintino", uma referência ao bairro da Zona Norte carioca onde nascera, teve de passar por um processo de fortalecimento muscular antes de ser lançado na equipe principal do Rubro-Negro Carioca, em 1971. Mas como contava, à época, apenas 18 anos, foi somente três anos mais tarde que conseguiu se firmar entre os titulares.

Tinha início, então, uma das mais lindas páginas de um atleta com a camisa de uma equipe — Zico imortalizou a 10 Rubro-Negra, tornando-se o maior ídolo da maior torcida do Brasil e, claro, também a maior do mundo.

Na Gávea, faturou 12 títulos expressivos, com destaque para os da Libertadores da América e do Mundial Interclubes, ambos em 1981. Vestindo o Manto Sagrado, a Amarelinha, e as camisas da Udinese/ITA e do Kashima Antlers/JAP, foram 765 gols, o que coloca o "Galo" entre os maiores artilheiros da história do futebol mundial. Por falar na Seleção Canarinho, apenas se lamenta o fato de Zico jamais ter sido vencedor em uma Copa do Mundo, mesmo tendo participado de três delas. Mas isso, como vimos, não foi suficiente para que Pelé mudasse sua opinião.

Palavra de Rei não se discute!

Zinho | *Nome*: Crizam César de Oliveira Filho
Data e Local de Nascimento: 17.06.1967, em Nova Iguaçu/RJ

Por mais bem-sucedido que seja um atleta — ou talvez até justamente por ser bem-sucedido —, sempre existem torcedores e jornalistas especializados que preferem criticá-lo de forma não construtiva. Foi o que aconteceu com este excelente meio-campista, que brilhou em grandes clubes como Flamengo, Palmeiras, Grêmio e Cruzeiro, sendo campeão em todos eles. Isso sem contar, claro, sua participação na Seleção Brasileira, pela qual ganhou a Copa do Mundo de 1994, atuando como titular absoluto.

Mas, mesmo assim, havia aqueles que o chamavam de "enceradeira", um antigo aparelho doméstico que servia para dar brilho ao chão. Para tal função, ela rodava várias vezes sobre o mesmo local, a fim de que o resultado obtido fosse cada vez melhor. A alusão à forma de Zinho jogar se dava porque ele, muitas vezes, prendia a bola no setor de meio-campo, demorando a dar sequência à jogada, numa ação que parecia errada, mas que na verdade nada mais era do que esperar pelo momento certo de dar o passe ou fazer o lançamento. E foi assim ("encerando") que Zinho faturou quase 40 títulos em sua carreira, com destaque para quatro brasileiros, quatro cariocas, dois paulistas, um gaúcho, um mineiro, quatro Copas do Brasil, uma Libertadores e, claro, o tetra nos Estados Unidos.

Pensando bem, seus críticos tinham mesmo razão quando o comparavam a uma enceradeira: Zinho reluzia os gramados por onde jogava.

Zizinho | *Nome*: Tomás Soares da Silva
Data e Local de Nascimento: 14.09.1921, em São Gonçalo/RJ
Data e Local de Falecimento: 08.02.2002, em Niterói/RJ

"Ele era um jogador completo. Atuava na meia, no ataque, marcava bem, era um ótimo cabeceador, driblava como poucos, sabia armar. Além de tudo, não tinha medo de cara feia: jogava duro quando era preciso. Ao lado do meu pai, foi o meu primeiro e, talvez, o meu maior ídolo no futebol. Quando garoto, um dos meus sonhos era jogar como ele."

A frase acima foi dita por Pelé, e o "ele" é Zizinho. Craque na melhor definição da palavra, foi — ao lado de Jair Rosa Pinto — o grande cérebro da Seleção Brasileira na Copa do Mundo de 1950 e, por isso mesmo, foi também, sem dúvida, uma das maiores vítimas daquela derrota para o Uruguai.

Zizinho — ou "Mestre Ziza", como também era chamado — começou sua brilhante carreira no Flamengo, clube em que mais se destacou, mas teve marcantes passagens também por Bangu e São Paulo. E poderia ter tido mais oportunidades na Seleção Brasileira, já que estava nos planos do técnico Zezé Moreira para o Mundial de 1954. Mas, alegando já ter então quase 33 anos, não aceitou a convocação, dizendo ser mais justo o treinador dar chance a novos talentos.

A Champions League

Usando uma linguagem própria ao futebol, ninguém dá muita bola para a data de 15 de junho de 1954. Mas não deveria ser assim: afinal, foi naquela tarde de terça-feira que foi fundada, na cidade suíça de Basileia, uma das mais importantes entidades do esporte no planeta: a Union of European Football Associations, que se tornou muito mais conhecida pela sigla UEFA.

Pois bem: foi justamente após o primeiro congresso deste órgão, realizado em Viena, na Áustria, em 2 de março de 1955, que surgiu a possibilidade de se realizar uma grande competição envolvendo os principais clubes de todos os países-membros. A ideia partiu de um jornalista, Gabriel Hanot, que à época respondia pela direção do já famoso jornal esportivo francês *L'Équipe*.

Ironicamente, o critério para que um time participasse da primeira edição da então chamada Taça dos Campeões Europeus não foi técnico, mas sim político: foram convidadas as equipes que, no entender da UEFA e de Hanot, eram as que mais atenção chamariam dos torcedores, independentemente de serem ou não as campeãs de seus respectivos países. A título de curiosidade, o primeiro jogo válido pela competição aconteceu em Lisboa e envolveu um time da casa, o Benfica, e o FC Partizan, na época, da Iugoslávia, mas que, hoje, pertence à Sérvia. O resultado foi um empate por 3 x 3.

Durante 35 anos, o torneio foi disputado sempre no sistema de eliminatórias simples, mais conhecido como "mata-mata". A partir de 1992, instalou-se a fase de grupos e se alterou também o nome da competição para UEFA Champions League.

Há também, atualmente, duas divisões inferiores do torneio, chamadas Europa League e Conference League.

Todos os Campeões da Champions League

ANO	CAMPEÃO	VICE
1956	Real Madrid/ESP	Reims/FRA
1957	Real Madrid/ESP	Fiorentina/ITA
1958	Real Madrid/ESP	Milan/ITA
1959	Real Madrid/ESP	Reims/FRA
1960	Real Madrid/ESP	Eintracht Frankfurt/ALE
1961	Benfica/POR	Barcelona/ESP
1962	Benfica/POR	Real Madrid/ESP
1963	Milan/ITA	Benfica/POR
1964	Internazionale/ITA	Real Madrid/ESP
1965	Internazionale/ITA	Benfica/POR
1966	Real Madrid/ESP	Partizan/IUG
1967	Celtic/ESC	Internazionale/ITA
1968	Manchester United/ING	Benfica/POR
1969	Milan/ITA	Ajax/HOL
1970	Feyenoord/HOL	Celtic/ESC
1971	Ajax/HOL	Panathinaikos/GRE
1972	Ajax/HOL	Internazionale/ITA
1973	Ajax/HOL	Juventus/ITA
1974	Bayern/ALE	Atlético de Madrid/ESP
1975	Bayern/ALE	Leeds United/ING
1976	Bayern/ALE	Saint-Étienne/FRA
1977	Liverpool/ING	Borussia Moenchengladbach/ALE
1978	Liverpool/ING	Brugge/BEL
1979	Nottingham Forest/ING	Malmö/SUE
1980	Nottingham Forest/ING	Hamburgo/ALE
1981	Liverpool/ING	Real Madrid/ESP

ANO	CAMPEÃO	VICE
1982	Aston Villa/ING	Bayern/ALE
1983	Hamburgo/ALE	Juventus/ITA
1984	Liverpool/ING	Roma/ITA
1985	Juventus/ITA	Liverpool/ING
1986	Steaua Bucarest/ROM	Barcelona/ESP
1987	Porto/POR	Bayern/ALE
1988	PSV Eindhoven/HOL	Benfica/POR
1989	Milan/ITA	Steaua Bucarest/ROM
1990	Milan/ITA	Benfica/POR
1991	Estrela Vermelha/IUG	Olympique de Marseille/FRA
1992	Barcelona/ESP	Sampdoria/ITA
1993	Olympique de Marseille/FRA	Milan/ITA
1994	Milan/ITA	Barcelona/ESP
1995	Ajax/HOL	Milan/ITA
1996	Juventus/ITA	Ajax/HOL
1997	Borussia Dortmund/ALE	Juventus/ITA
1998	Real Madrid/ESP	Juventus/ITA
1999	Manchester United/ING	Bayern/ALE
2000	Real Madrid/ESP	Valencia/ESP
2001	Bayern/ALE	Valencia/ESP
2002	Real Madrid/ESP	Bayer Leverkusen/ALE
2003	Milan/ITA	Juventus/ITA
2004	Porto/POR	Mônaco/FRA
2005	Liverpool/ING	Milan/ITA
2006	Barcelona/ESP	Arsenal/ING
2007	Milan/ITA	Liverpool/ING
2008	Manchester United/ING	Chelsea/ING
2009	Barcelona/ESP	Manchester United/ING
2010	Internazionale/ITA	Bayern/ALE
2011	Barcelona/ESP	Manchester United/ING
2012	Chelsea/ING	Bayern/ALE

ANO	CAMPEÃO	VICE
2013	Bayern/ALE	Borussia Dortmund/ALE
2014	Real Madrid/ESP	Atlético de Madrid/ESP
2015	Barcelona/ESP	Juventus/ITA
2016	Real Madrid/ESP	Atlético de Madrid/ESP
2017	Real Madrid/ESP	Juventus/ITA
2018	Real Madrid/ESP	Liverpool/ING
2019	Liverpool/ING	Tottenham/ING
2020	Bayern/ALE	Paris Saint-Germain/FRA
2021	Chelsea/ING	Manchester City/ING
2022	Real Madrid/ESP	Liverpool/ING

CAPÍTULO VINTE

A FIFA E O MELHOR JOGADOR DO MUNDO

Em 1991, a FIFA criou um prêmio para o jogador que mais se destacasse no planeta durante a temporada.

Muito embora europeus, sul-americanos (dentre estes, cinco brasileiros: Romário, Ronaldo, Rivaldo, Ronaldinho Gaúcho e Kaká) e até mesmo um africano já tenham sido escolhidos, jamais um atleta que não atuasse no Velho Mundo conseguiu tamanha honra. A escolha é sempre feita pelo treinador e pelo capitão das principais seleções do mundo, de acordo com o ranking que a entidade divulga periodicamente.

Confira abaixo todos os craques que já o receberam:

ANO	ATLETA	PAÍS
1991	Lothar Matthäus	Alemanha
1992	Van Basten	Holanda
1993	Baggio	Itália
1994	Romário	BRASIL
1995	Weah	Libéria
1996	Ronaldo	BRASIL
1997	Ronaldo	BRASIL
1998	Zidane	França
1999	Rivaldo	BRASIL
2000	Zidane	França

ANO	ATLETA	PAÍS
2001	Figo	Portugal
2002	Ronaldo	BRASIL
2003	Zidane	França
2004	Ronaldinho Gaúcho	BRASIL
2005	Ronaldinho Gaúcho	BRASIL
2006	Cannavaro	Itália
2007	Kaká	BRASIL
2008	Cristiano Ronaldo	Portugal
2009	Messi	Argentina
2010	Messi	Argentina
2011	Messi	Argentina
2012	Messi	Argentina
2013	Cristiano Ronaldo	Portugal
2014	Cristiano Ronaldo	Portugal
2015	Messi	Argentina
2016	Cristiano Ronaldo	Portugal
2017	Cristiano Ronaldo	Portugal
2018	Modrić	Croácia
2019	Messi	Argentina
2020	Lewandowsky	Polônia
2021	Lewandowsky	Polônia
2022	Messi	Argentina

CONCLUSÃO

Se você chegou até aqui, ou seja, ao último minuto dos acréscimos *desta partida*, já pode se sentir um campeão, pois atingiu o objetivo deste jornalista e autor — que ora foi atleta, ora técnico, árbitro, dirigente: contar a história do esporte mais popular do mundo, de uma forma resumida, sim, mas também detalhada, a fim de que você não perdesse uma única jogada, um único drible e, claro, muito menos um gol.

Certamente, no desenrolar do jogo, você, vez ou outra, discordou da decisão tomada por este árbitro, da tática utilizada por este treinador ou da jogada realizada por este atleta. Algo que tenha lido ou relembrado pode tê-lo deixado, como certa vez disse um poeta, "mais angustiado do que o goleiro na hora do gol".

Mas, por outro lado, é certo também que, ao ter em suas mãos esta obra, você colocou em seu rosto o mesmo sorriso que este jogador exibiu todas as vezes em que, nos campinhos de terra batida ou em qualquer outro lugar deste mundo (que, acredite, não à toa é uma bola), venceu uma partida.

Por vezes, cada um de nós é como um torcedor de arquibancada: podemos apenas assistir ao desenrolar dos fatos e rezar para que tudo termine como desejamos. Mas em outras, devemos assumir o papel de craque do time, e cabe somente a nós ganhar o jogo. Por isso, quero agradecer a você por ter atuado ao meu lado neste grande clássico.

E a melhor maneira de fazê-lo é agindo com sinceridade. Assim, informo que, ao contrário do que você possa imaginar, este livro não acaba aqui. Aliás, para ser ainda mais sincero, enquanto você o lia outras partidas aconteceram, muitos gols foram marcados, outros perdidos, vários times se sagraram campeões, diversos lamentaram a perda da taça, outros craques surgiram, mais ainda desapareceram.

É que este livro jamais terá fim.

Ele é eterno. Assim como o FUTEBOL.

BIBLIOGRAFIA

LIVROS

A Arbitragem nos Campeonatos Nacionais — 1967/2007 — Antônio Carlos Napoleão — SAFESP, 2007.

A História do Campeonato Paulista — Valmir Storti e André Fontenelle — Ed. Publifolha, 1997.

A História do XV — Delphin Moreira da Rocha Netto — Jornal de Piracicaba, 1990.

Alma Palestrina — Fernando Razzo Galuppo — Ed. Leitura, 2009.

Almanaque do Corinthians — Celso Unzelte — Ed. Abril, 2002.

Almanaque do Flamengo — Roberto Assaf e Clóvis Martins — Ed. Abril, 2001.

Almanaque do Futebol Paulista — José Jorge Farah Neto e Rodolpho Kussarev Jr. — Ed. Panini, 2001.

Almanaque do Palmeiras — Celso Unzelte e Mário Sérgio Venditti — Ed. Abril, 2004.

Almanaque do São Paulo — Alexandre da Costa — Ed. Abril, 2006.

Almanaque do Timão — Celso Unzelte — Ed. Abril, 2000.

Almanaque dos Artilheiros — José Manoel Dressler — Scortecci Editora, 2016.

Anuário Placar 2003 — Diversos — Ed. Abril, 2003.

Anuário Placar 2004 — Diversos — Ed. Abril, 2004.

Arbitragem Paulista: Mais de um Século de História (1902/2009) — Márcio Trevisan — Ed. SAFESP, 2010.

As Glórias de um Campeão — Márcio Trevisan — Ed. Sport Press, 1999.

Até a Pé Nós Iremos — Ruy Carlos Ostermann — Ed. Mercado Aberto, 2000.

Brasil Penta — Edgard Martolio — Ed. Caras, 2002.

Brasil: Uma História — Eduardo Bueno — Ed. Ática, 2003.

Campeonato Carioca: 96 anos de História — 1902/1997 — Roberto Assaf e Clóvis Martins — Ed. Irradiação Cultural, 1997.

Copa Libertadores de América — 1960/1995 — Confederación Sudamericana de Fútbol, 1996.

Corinthians x Palmeiras — Uma História de Rivalidade — Antônio Carlos Napoleão — Ed. Mauad, 2001.

Curiosidades e Recordes do Futebol Brasileiro — Severino Filho — Ed. Estado do Piauí, 1990.

Deuses da Bola — História da Seleção Brasileira de Futebol — Eugênio Goussinsky e João Carlos Assumpção — Ed. DBA, 1998.

Divino — A Vida e a Arte de Ademir da Guia — Kleber Mazziero de Souza — Ed. Gryphus, 2002.

Dossiê 50 — Geneton Moraes Neto — Ed. Objetiva, 2000.

Enciclopédia do Futebol Brasileiro — Diversos — Ed. Areté, 2001.

Futebol — Histórias e Regras — Orlando Duarte — Ed. Makron Gold, 1997.

Grandes Clubes Brasileiros — Marcelo Miguerez e Celso Unzelte — Ed. Viana Mosley, 2004.

Guia dos Craques — Marcelo Duarte — Ed. Abril, 2000.

Imigração e Futebol — O Caso Palestra Itália — José Renato de Campos Araújo — Ed. Sumaré.

Lusa — Uma História de Amor — Orlando Duarte — Livraria Teixeira, 2000.

Mário Travaglini — Da Academia à Democracia — Márcio Trevisan e Helvio Borelli — Ed. HBG Comunicações — 2008.

Medicina Futebol Clube — Tim Teixeira — Ed. Artemeios, 2004.

Memorando do Futebol — Marcos Carvalho Mendes — Edição independente, 2001.

O Almanaque do Futebol Brasileiro — Marco Aurélio Klein e Sérgio Audinino — Ed. Escala, 1996.

O Artilheiro Indomável — As Incríveis Histórias de Serginho Chulapa — Wladimir Miranda — Ed. Publisher Brasil, 2001.

O Brasil na Taça Libertadores e no Mundial Interclubes — Antônio Carlos Napoleão — Ed. Mauad, 1999.

O Caminho da Bola — 1902/1952 — Rubens Ribeiro — CNB Comunicação e Marketing, 2000.

O Caminho da Bola — 1953/1977 — Rubens Ribeiro — CNB Comunicação e Marketing, 2000.

O Caminho da Bola — 1978/2007 — Rubens Ribeiro — CNB Comunicação e Marketing, 2008.

O Futebol Brasileiro nas Copas Internacionais de Clubes — Marco Aurélio Klein e Sérgio Audinino — Ed. Escala, 1996.

O Guia dos Curiosos — Brasil — Marcelo Duarte — Ed. Cia. das Letras, 1999.

O Livro das Datas do Futebol — Rodolfo Martins Rodrigues — Ed. Panda Books, 2004.

O Livro de Ouro do Futebol — Celso Unzelte — Ed. Ediouro, 2002.

O Negro no Futebol Brasileiro — Mário Filho — Ed. Mauad, 2010.

Os Dez Mais do Corinthians — Celso Unzelte — Ed. Maquinária, 2008.

Os Dez Mais do Palmeiras — Mauro Beting — Ed. Maquinária, 2009.

Os Melhores Jogadores de Futebol do Brasil — Luciano Ubirajara Nassar — Ed. Expressão e Arte, 2010.

Oswaldo Brandão — Libertador Corintiano, Herói Palmeirense — Maurício Noriega — Ed. Contexto, 2014.

Palco das Emoções — Uma Pequena Enciclopédia dos Estádios — Newton Ernesto Pacheco dos Santos — Edição particular, 2005.

Palmeiras, a Eterna Academia — Alberto Helena Jr. — Ed. DBA, 1996.

Pelé, o Atleta do Século — Sérgio Xavier Filho — Ed. Abril, 2000.

Por que o Futebol Paulista Cresceu? — Arnaldo Branco Filho, Lucas Netto e Márcio Trevisan — FPF, 2002.

Quem é Quem — Diversos — Ed. Abril, 2004.

Sempre Palmeiras — Antônio Carlos Morbio — Edição Independente, 2000.

Técnicos: Deuses e Diabos na Terra do Futebol — Diversos — Ed. do Serviço Social do Comércio (SESC).

Telê e a Seleção de 82 — Da Arte à Tragédia — Marcelo Mora — Ed. Publisher Brasil, 2012.

Todas as Copas do Mundo — Orlando Duarte, Ed. Makron Books, 1994.

REVISTAS

50 Times do Palmeiras — Diversos — Ed. Abril, 2001.

72 Anos de História da Seleção Brasileira — Diversos — Ed. Abril, 1983.

100 Craques do Século — Diversos — Ed. Abril, 1999.

500 Maiores Times do Brasil — Diversos — Ed. Abril, 1997.

581 Craques do Brasil — Diversos — Ed. Abril, 2000.

A História dos 25 Anos do Brasileirão — Diversos — Ed. Abril, 1996.

A Volta do Palmeiras à Série A — Diversos — Ed. Abril, 2003.

Almanaque do Brasileirão — Diversos — Ed. Abril, 2002.

Corinthians x Palmeiras — Diversos — Ed. Abril, 2000.

Grandes Clubes Brasileiros — Corinthians — Diversos — Ed. Areté, 1999.

Grandes Clubes Brasileiros — São Paulo — Diversos — Ed. Arete, 1999.

Grandes Perfis do Palmeiras — Diversos — Ed. Abril, 2002.

Grandes Reportagens do Flamengo — Diversos — Ed. Abril, 2001.

Grandes Reportagens do Palmeiras — Diversos — Ed. Abril, 2001.

Grandes Reportagens do São Paulo — Diversos — Ed. Abril, 2001.

Grandes Reportagens do Vasco da Gama — Diversos — Ed. Abril, 2001.

Guinness World Records — Diversos — Ed. Harper Collins, 2008.

História do Brasileirão — Diversos — Ed. Abril, 2002.

Jubileu de Ouro — Copa Rio — Arnaldo Branco Filho, Lucas Netto e Márcio Trevisan — SEP, 2001.

Palmeiras — A História do Alviverde do Parque Antártica — Diversos — Ed. Areté, 1999.

Quem é Quem — 500 Jogadores — Diversos — Ed. Abril, 1999.

Quem é Quem no Futebol — Diversos — Ed. Abril, 1991.

SITES

AC Milan
AS Monaco
Associação Atlética Ponte Preta
Associação Chapecoense de Futebol
Associazione Sportiva Roma
Botafogo Futebol Clube
Botafogo de Futebol e Regatas
Ceará Sporting Club
Centro Sportivo Alagoano
Club Atlético Boca Juniors
Club Atlético de Madrid
Club Atlético Independiente
Club Atlético Nacional SA
Club Atlético Peñarol
Club Atlético River Plate
Club Estudiantes de La Plata
Club Nacional de Fútbol
Clube Atlético Bragantino
Clube Atlético Mineiro
Clube Athletico Paranaense
Clube de Regatas do Flamengo
Clube de Regatas Vasco da Gama
Confederação Brasileira de Futebol
Coritiba Foot-Ball Club
Criciúma Esporte Clube
Cruzeiro Esporte Clube

Esporte Clube Bahia
Esporte Clube Santo André
Esporte Clube Vitória
F.C. Internazionale Milano
FC Barcelona
Federação de Futebol do Estado do Rio
    de Janeiro
Federação Paulista de Futebol
Fluminense Football Club
Fortaleza Esporte Clube
Fußball-Club Bayern München
Goiás Esporte Clube
Grêmio Foot-Ball Porto Alegrens
Guarani Futebol Clube
Juventus Football Club
Manchester United
Paris Saint-Germain Football Club
Paulista Futebol Clube
Real Madrid Club de Fútbol
Santos Futebol Clube
São Paulo Futebol Clube
Senhor Palmeiras
Sociedade Esportiva Palmeiras
Società Sportiva Calcio Napoli
Sport Club do Recife
Sport Club Internacional
Sport Clube Corinthians Paulista
Sport Lisboa Benfica
Wikipedia